El lugar de la garza blanca

JUAN MIGUEL AGUILERA

COLECCIÓN NOVELA HISTÓRICA

Autor: Juan Miguel Aguilera
Coordinación editorial: Carmen Aguirre
Supervisión pedagógica: Emilia Conejo
Glosario y actividades: Emilia Conejo
Diseño y maquetación: rosacasirojo
Corrección: Rebeca Julio
Ilustración de cubierta: Códice precolombino
Ilustraciones: Juan Miguel Aguilera
Locución: Xavier Miralles

© Difusión, Centro de Investigación y Publicaciones de Idiomas, S.L., 2011
ISBN: 978-84-8443-744-4
Depósito legal: B-5469-2011
Impreso en España por T. G. Soler
www.difusion.com

Índice

>**traje de guerra**
tlahuiztli

>**escudo**
chimalli

>**macana**
macuahuitl

Cuahupilli o guerrero águila

Novela Histórica
El lugar de la garza blanca

«El destino de tus hijos no está en mis manos, sino en las manos de los dioses. Si tienen edad para combatir, serán sacrificados a Huitzilopochtli, si aún no la tienen, servirán como esclavos en Tenochtitlán»

Teonahuac, jefe azteca,
a Nalaalau, jefe maya

Cómo trabajar con este libro

La colección **Novela Histórica** se acerca a diferentes períodos clave de la historia de España y Latinoamérica a través de novelas amenas y adaptadas al nivel de los estudiantes.

Para facilitar la lectura se incluye al final de cada página un glosario en español de las palabras y expresiones más difíciles, y al final del libro, un glosario de las traducciones al inglés, francés y alemán.

A lo largo del texto se han marcado en color morado algunas palabras y expresiones que hacen referencia a aspectos relacionados con la cultura o la historia del mundo del español, y que se explican en la sección de notas culturales.

Cada novela termina con una serie de actividades que sigue la siguiente estructura:

a) «Antes de leer». **Actividades para realizar antes de empezar a leer**. Ayudan a activar los conocimientos previos sobre el tema.

b) «Durante la lectura». Actividades destinadas a **pautar la comprensión de los diferentes capítulos**.

c) «Después de leer». Propuestas variadas que permiten **poner en práctica la comprensión auditiva y de lectura, la expresión oral y escrita, la interacción oral y escrita y la mediación**. Se trata de actividades abiertas que se pueden adaptar a las necesidades de cada lector.

d) «Léxico». Actividades para la **sistematización, la profundización y la ampliación del vocabulario**. Tienen el objetivo de favorecer un aprendizaje estratégico y la mayoría son de carácter abierto.

e) «Cultura». Sección dedicada a **profundizar en algunos de los temas culturales** que plantea el libro.

f) «Internet». En esta última sección se proponen **páginas web interesantes** para seguir investigando.

Capítulo I
Teonahuac

El capitán azteca Teonahuac participó en las embajadas en la ciudad enemiga de Chiapán. Entonces advirtieron a sus habitantes de que se acercaba el ataque azteca y repartieron regalos entre ellos. Pequeños escudos[1], macanas —unas espadas de madera planas, con afilados[2] pedazos de obsidiana en los bordes— y adornos de plumas[3].

Los aztecas declaran así la guerra, llevando regalos a sus enemigos, especialmente armas para que puedan defenderse. Creen que la guerra es una prueba en la que los dioses son los jueces, y a los dioses les gusta que sea una lucha justa y equilibrada, donde los dos bandos tienen las mismas posibilidades de ganar.

—Estos regalos demuestran nuestra buena voluntad hacia vosotros, gente de Chiapán —les dijo Teonahuac. Es un hombre de mediana edad, vestido con un traje cubierto de plumas. Sobre su cabeza lleva un casco[4] que representa un águila con la boca abierta—. Pero, si decidís seguir siendo nuestros enemigos, destruiremos todo vuestro reino. Quemaremos[5] vuestras casas y venderemos como esclavos a los

---

GLOSARIO
[1] **escudo**: arma para protegerse [2] **afilado**: cortante [3] **pluma**: pieza que cubre el cuerpo de un ave [4] **casco**: protección para la cabeza [5] **quemar**: echar al fuego

pocos que sobrevivan. Oíd mis palabras, hombres valientes de Chiapán, porque vosotros sois los que vais a luchar y a sufrir las heridas y el dolor de la guerra. Vosotros, no vuestro rey. Y este es nuestro último aviso.

Pero las advertencias y las amenazas[6] no sirvieron de nada, y los dos ejércitos se encontraron por fin en una enorme llanura entre la selva y el gran río Tarasco.

El ejército azteca atraviesa la selva chiapaneca como una gran serpiente silenciosa. Teonahuac camina al frente de los guerreros águila. Cuando los chiapanecas están lo suficientemente cerca, Teonahuac da la orden de atacar y los aztecas avanzan.

Se oyen las caracolas[7] de guerra junto con los gritos de batalla que imitan el aullido[8] de diferentes animales. Los miles de guerreros cruzan corriendo el terreno que los separa y levantan nubes de polvo[9] que ocultan el sol. Los chiapanecas esperan cantando canciones de guerra. Golpean[10] sus escudos redondos con las macanas o desafían[11] a los aztecas con burlas[12].

Los guerreros de ambos bandos chocan como dos olas en mitad del mar, cada una de ellas formada por miles de hombres que gritan con furia. Por todo el campo se escucha el ruido de las armas al chocar. Las macanas lanzan chispas[13] al golpear entre sí con violencia.

El ejército chiapaneca retrocede[14] un poco en el primer momento, pero resiste como una muralla flexible de escudos y macanas. Devuelven con ferocidad los golpes aztecas.

La confusión es total, los guerreros de ambos bandos luchan entre gritos y polvo mientras las jabalinas[15] cruzan sobre sus cabezas. Se lucha en cientos de combates individuales. El choque de las macanas se convierte en un sonido continuo. El

---

GLOSARIO

[6] **amenaza**: intimidación [7] **caracola**: concha de caracol marino grande [8] **aullido**: sonido largo y triste de algunos animales [9] **polvo**: partículas de tierra [10] **golpear**: dar un golpe [11] **desafiar**: provocar [12] **burla**: acto para dejar en ridículo a alguien [13] **chispa**: partícula de fuego [14] **retroceder**: ir hacia atrás [15] **jabalina**: arma parecida a una lanza larga

objetivo de la lucha no es matar al enemigo, sino derrotarlo e inmovilizarlo. Por ello, a los guerreros los acompañan pajes[16] que atan[17] con cañas[18] a los vencidos.

Teonahuac aprieta con fuerza su arma, cubierta ya de sangre. Acaba de derrotar a su último enemigo y, mientras uno de sus pajes lo ata de pies y manos, busca a otro al que enfrentarse. Oye un grito a su derecha y, al volverse, ve a un chiapaneca que se lanza contra él. Teonahuac esquiva el primer golpe de la macana de su enemigo y contraataca. Golpea al chiapaneca, que lo para con su escudo y devuelve el ataque con ferocidad. Teonahuac retrocede.

Los ojos de su enemigo brillan. Es un hombre de edad avanzada, con el pelo gris, pero fuerte como una roca. Mientras ataca, sonríe desdeñoso[19] bajo las plumas y el jade[20] que adornan su cabeza. Es evidente que pertenece a la nobleza de Chiapán. Un gran guerrero, sin duda.

La lucha continúa durante un buen rato sin que gane o pierda ninguno de los dos. Entonces, Teonahuac coge la macana con las dos manos y vuelve a atacar a su enemigo. Esta vez, el escudo redondo del chiapaneca se rompe por la fuerza del golpe. Sin detenerse, Teonahuac gira sobre sí mismo y golpea al guerrero de Chiapán en la cara.

El golpe es brutal. Cae hacia atrás, medio inconsciente, sangrando por la boca.

Inmediatamente, los pajes de Teonahuac se lanzan sobre él. Mientras uno le ata las manos con unas delgadas cañas, el otro le ata los pies. Luego, lo agarran por el pelo gris y lo arrastran hacia la retaguardia[21]. El chiapaneca le grita a Teonahuac.

—¡Noble azteca, te pido que oigas mis palabras! ¡Oye lo que tengo que decirte!

GLOSARIO

[16] **paje**: criado de un señor [17] **atar**: unir con una cuerda o similar [18] **caña**: tallo de algunas plantas que sirve para hacer cuerdas [19] **desdeñoso**: que muestra desprecio [20] **jade**: piedra utilizada para fabricar armas y adornos [21] **retaguardia**: parte de detrás de un ejército

Teonahuac hace un gesto a sus pajes para que se detengan y se acerca al vencido.

—Has luchado noblemente, hombre de Chiapán. Acepta ahora tu destino[22], que es ir a nuestra ciudad de Tenochtitlán y ser sacrificado[23] al dios Huitzilopochtli.

—Acepto mi destino, ya que nuestro combate ha sido justo ante tus dioses y los míos. Mi nombre es Nalaalau, y soy como tú de una familia noble. No te pido nada para mí, pero en honor a nuestra nobleza te ruego que no permitas que mis hijos sean esclavizados. Mis dos hijos deben tener un destino mejor.

Teonahuac levanta una mano para ordenarle callar.

—Tu suerte y la de tu ciudad, y la de toda tu gente, quedó decidida cuando no aceptasteis la oferta de amistad de la Triple Alianza. El destino de tus hijos no está en mis manos, sino en las manos de los dioses. Si tienen edad para combatir, serán sacrificados a Huitzilopochtli, si aún no la tienen, servirán como esclavos en Tenochtitlán.

—Pero, noble señor…

El guerrero azteca ya no quiere seguir escuchándolo. Ordena a sus pajes que lo lleven con sus otros prisioneros. Luego regresa al combate, que continúa hasta la noche.

Los aztecas lanzan flechas[24] de fuego que alcanzan los tejados de las últimas chozas[25] de la ciudad de Chiapán, y sus defensores arden[26] entre las llamas. Los guerreros águila entran en la ciudad como animales salvajes. Nadie puede detenerlos. Incendian, saquean[27], matan sin piedad a cualquier anciano, mujer o niño que se enfrenta a ellos.

Ese fue el terrible final de la batalla del río Tarasco, el fin de la ciudad de Chiapán y el principio de una vida de esclavitud para muchos de sus habitantes.

GLOSARIO

[22] **destino**: futuro [23] **sacrificar**: matar como ofrenda a los dioses [24] **flecha**: arma que se lanza [25] **choza**: cabaña [26] **arder**: quemarse [27] **saquear**: (dicho de los soldados) robar

Capítulo II
Vencedores y vencidos

Al día siguiente, cuando está amaneciendo, Teonahuac camina arrogante entre las chozas en llamas. Su figura es impresionante. Se ha quitado el traje de águila que estaba cubierto de sangre. Y viste una manta de algodón anudada[1] sobre su hombro derecho, decorada con dibujos geométricos.

A lo lejos, arde el templo consagrado a los dioses chiapanecas. Las llamas suben tan alto que parecen abrir un agujero en el cielo. Para los aztecas esa imagen marca el final de toda guerra: el templo enemigo consumiéndose en el fuego. La derrota del dios local y el reconocimiento de la superioridad de su dios Huitzilopochtli.

Porque los aztecas —el pueblo conocido y temido entonces con el nombre de *mexihcah*— son la nación más poderosa del mundo de Teonahuac. Nadie puede enfrentarse a ellos porque ellos son los que alimentan a los dioses con la carne y la sangre de los sacrificados. Esa es su grave responsabilidad. Alimentan incluso al Sol, que dejaría de salir si ellos dejaran de alimentarlo.

«Ahí está de nuevo», piensa Teonahuac mirando hacia el cielo, «rojo y grande como cada mañana, dispuesto a darnos un nuevo día de gloria».

GLOSARIO
[1] **anudar**: fijar o atar con un nudo o lazo

En el centro de la ciudad han construido una empalizada². Teonahuac se acerca. Allí están encerrados cientos de hombres viejos, mujeres y niños, cubiertos de polvo y heridas, atados con cañas que sujetan el cuello y la mano derecha. Muchos duermen como pueden, agotados³ por las horas de terror.

La luz del amanecer da un aspecto fantasmagórico a todas aquellas personas tiradas por el suelo, como piezas de un gran puzle. Teonahuac entra en la empalizada y los guardias despiertan a golpes a los prisioneros⁴ y los obligan a levantarse.

—Entre vosotros están los dos hijos de uno de los capitanes de la ciudad. Nalaalau es su nombre… ¿Dónde están los hijos de Nalaalau? ¡Hablad!

Nadie responde. Los prisioneros miran al azteca. En sus ojos hay pena y cansancio. Ninguno se mueve ni señala a los niños.

—Es posible que no estén aquí, venerable⁵ —dice uno de los guardias—. Muchos murieron durante el saqueo.

—Ordénales que se arrodillen⁶ ante mí.

El guardia da la orden y los prisioneros se arrodillan en el suelo. Pero dos muchachos dudan un instante en obedecer. El menor se arrodilla primero y le hace un gesto a su hermano para que haga lo mismo. Pero este se resiste. Es alto para su edad, pero no debe de tener más de trece años. Se separa del pequeño, que no tendrá más de once años, y se pone en medio de los arrodillados para mirar desafiante al capitán azteca.

—Esos dos —dice Teonahuac a un guerrero—. Desátalos y llévalos afuera.

Teonahuac espera al otro lado de la empalizada. Un momento después aparece el guerrero azteca con los dos muchachos sujetos por los brazos.

GLOSARIO
² **empalizada**: obra hecha de estacas o palos afilados clavados en la tierra ³ **agotado**: muy cansado ⁴ **prisionero**: militar u otra persona que el enemigo captura en una guerra ⁵ **venerable**: honorable (título honorífico, respetuoso) ⁶ **arrodillarse**: apoyarse en el suelo sobre las rodillas

—Vosotros sois los hijos de Nalaalau. Yo derroté a vuestro padre en el combate. Debo deciros que luchó con valentía y honor.

El mayor mira a un lado y a otro, desinteresado, como si no entendiera las palabras del azteca. El menor, en cambio, abre mucho los ojos. Parece que va a preguntar algo, pero se muerde los labios cuando su hermano le hace un gesto.

—Entendéis mi lengua, ¿verdad? —Teonahuac mira al guardia y le ordena que suelte[7] a los muchachos—. No quiero haceros ningún daño.

—Déjanos ir entonces —dice el mayor.

—Vuestro padre me pidió que cuidase de vosotros. Al principio me negué a hacerlo, pero no tengo hijos varones[8] y se nota que hay nobleza en vuestra sangre...

Teonahuac se tiene que apartar[9] rápidamente, porque el mayor se ha lanzado hacia él y ha intentado clavarle[10] algo en el cuello. Lo sujeta por la mano y evita el golpe. Le ordena al guerrero azteca que se detenga, pues este estaba a punto de lanzarse hacia el muchacho con la macana preparada para golpearlo en la cabeza.

—¿Qué es esto? —le pregunta Teonahuac al chico, y le obliga a abrir la mano con la que lo ha atacado—. ¿Qué llevas ahí?

Es una afilado pedazo de la caña que antes lo tenía prisionero. Había conseguido esconderlo de los guardias de alguna manera.

—Venerable, lo siento, yo... —murmura el guerrero.

—¡Silencio! —Teonahuac se vuelve hacia el chico y le pregunta—. ¿Es que querías matarme?

—Eres mi enemigo. ¿Qué otra cosa esperabas de mí? —dice el joven chiapaneca.

GLOSARIO

[7] **soltar**: dejar libre [8] **varón**: de sexo masculino [9] **apartar**: mover a un lado [10] **clavar**: introducir algo punzante o afilado en una superficie

—Ya veo que hablas muy bien mi lengua. Y eres valiente, muchacho, pero estás equivocado. La guerra ha terminado.

—¿Y qué?

—Que los dioses han pronunciado su sentencia y es inútil resistirse a su voluntad. Tu ciudad se ha rendido[11] a los aztecas y ahora está bajo el dominio de la Triple Alianza.

—¿Tus dioses o los míos?

—Los dioses que os han derrotado. Ya no tienes motivo para atacarme. Tu nueva vida empieza ahora, y tu nombre para esta nueva vida será Acatzin, «pequeña caña».

—No lo quiero. Desde los siete años ya tengo un nombre.

—Ese fue tu nombre chiapaneca. Acatzin es ahora tu nombre azteca.

—¡Yo no soy azteca! —grita el muchacho.

—No, no lo eres —reconoce Teonahuac—, pero lo serás. Te guste o no, lo serás.

Se vuelve hacia el pequeño chiapaneca y le pregunta:

—¿Y tú qué llevas en la mano? ¿Otro cuchillo improvisado?

—N..., no —el chico abre la mano y le muestra al azteca lo que tenía en ella. Es una estrella hecha de barro[12] cocido y tiene una cola de plumas.

Teonahuac la coge y levanta las cejas, extrañado, mientras la mira.

—¿Qué es eso, un cometa[13]? ¿Es que no sabes que los cometas traen mala suerte?

—Me lo hizo mi padre. Es un juguete.

—Muy bien —se lo devuelve al chico—, entonces tú te llamarás Xihuitl, «cometa», y espero que ese nombre no te traiga desgracias.

GLOSARIO

[11] **rendirse**: claudicar, dar una guerra por perdida [12] **barro**: mezcla de tierra y agua
[13] **cometa**: cuerpo celeste formado por hielo y rocas y con una cola luminosa

Xihuitl asiente[14]. Aunque nunca se lo confesaría a su hermano, le gusta su nuevo nombre. Su padre le hizo aquel juguete un día que él le estuvo preguntando sin parar sobre las luces del cielo. Desde entonces se ha sentido fascinado por las estrellas.

—Escuchadme los dos —sigue diciendo Teonahuac—; mañana comenzaremos el largo camino hasta Tenochtitlán, mi ciudad, la que será vuestra ciudad a partir de ahora.

—¿Qué va a pasarle a nuestro padre? —pregunta el mayor.

—Vuestro padre será sacrificado junto con el resto de los prisioneros. Los aztecas alimentamos con carne y sangre a los dioses para que el mundo siga existiendo. Es su destino y un honor que él acepta como guerrero.

—¡No es verdad! —grita el chico—. ¡Déjanos hablar con nuestro padre!

Teonahuac levanta la mano para ordenar silencio.

—No os pido que lo entendáis aún. Pero, si os comportáis correctamente hasta que lleguemos a Tenochtitlán, os permitiré verlo y hablar con él por última vez.

Se vuelve hacia el guerrero azteca que está en silencio junto a ellos.

—Te conozco de la escuela de guerreros —le dice—. Tú eres Chimalma, ¿verdad?

El azteca se inclina[15] y coloca las manos sobre el pecho.

—Sí, venerable.

—Te dejo a cargo de estos dos muchachos. Ya has oído sus nombres. No quiero que vuelvan con el resto de los prisioneros, trátalos bien y dales de comer... Pero vigílalos atentamente, sobre todo al mayor.

—De acuerdo, venerable.

El capitán no dice nada más. Se da media vuelta y se va. Chimalma se gira hacia los dos muchachos y los mira molesto.

GLOSARIO

[14] **asentir**: decir que sí con la cabeza [15] **inclinarse**: bajar la mitad superior del cuerpo hacia delante

Capítulo III
Xihuitl

La caravana se mueve como una larga fila de insectos. Durante los primeros días sigue el curso del río Tarasco. Entonces el camino es fácil, pero luego entran en la selva. Los aztecas escogen a los prisioneros en mejor estado de salud y los sitúan delante de la fila para que abran paso a través de la vegetación con las macanas.

Caminan doce horas al día, sin descanso, y cuando la luz ya no es suficiente para ver dónde ponen los pies, encienden antorchas[1] y siguen avanzando hasta que los prisioneros no pueden más. Los aztecas quieren dejar atrás la jungla cuanto antes. Saben que ese es el territorio de los chiapanecas y que allí están en peligro.

Los sacerdotes[2] aztecas también parecen nerviosos. Queman continuamente bolas de incienso[3] para espantar a los malos espíritus de la jungla. A Xihuitl le dan mucho miedo aquellos sacerdotes. Para su mente casi infantil es imposible imaginar a seres más temibles que ellos. Visten largas túnicas[4]

GLOSARIO

[1] **antorcha**: vela grande de cera que se quema para dar luz [2] **sacerdote**: (aquí) hombre dedicado a la religión [3] **incienso**: mezcla de sustancias que se queman en muchas ceremonias religiosas y huelen bien [4] **túnica**: prenda de ropa larga y suelta que se lleva sobre el vestido

negras y todos llevan una calabaza atada a la espalda; dentro guardan pastillas de tabaco y calcio en polvo que usan para entrar en trance. Llevan el cabello cubierto de la sangre seca de las víctimas y las sienes[5] marcadas con una mancha roja. Las caras que no están pintadas de negro tienen la palidez[6] de la muerte, los ojos enloquecidos, las uñas[7] de las manos largas. A Xihuitl le dan tanto miedo que, cuando se cruzan con uno de ellos, se tapa los ojos con las manos.

Por fin abandonan la selva y entran en un nuevo y extraño país. Xihuitl mira a su alrededor sin entender del todo lo que están viendo. Sus ojos deben acostumbrarse a los horizontes de aquella tierra sin árboles. Se asombra, por ejemplo, de cómo con la distancia las siluetas de las cosas se difuminan[8] y sus colores se confunden con los del cielo.

Le pregunta a su hermano mayor si sabe dónde están.

Acatzin no le presta atención, está pensando en complicados planes para rescatar[9] a su padre y escapar de los aztecas. Pero Chimalma está siempre atento a ellos, y esto hace imposible cualquier intento de escapada.

El guerrero azteca es duro como un trozo de obsidiana[10]. Está alerta de cada movimiento de los muchachos. Los alimenta, los obliga a lavarse y los castiga con rigor, pero sin excesiva crueldad cuando no obedecen sus órdenes.

Cuando llega la noche, los aztecas acampan. Las tiendas de los nobles son de algodón con dibujos geométricos azules y negros. Entre ellas brillan algunas hogueras[11]. La luz es débil y melancólica. El aire huele a guisos y humo.

GLOSARIO

[5] **sien**: parte lateral de la cabeza [6] **palidez**: blancura, ausencia de color en la piel [7] **uña**: parte dura en la que terminan los dedos [8] **difuminarse**: desdibujarse, volverse menos claro [9] **rescatar**: salvar, liberar [10] **obsidiana**: roca volcánica de color negro o verde muy oscuro con la que los indios americanos fabricaban armas y espejos [11] **hoguera**: fuego al aire libre

Xihuitl y Acatzin cenan las tortillas de maíz que Chimalma les trae recién cocinadas. Una tortilla y media con frijoles[12] para cada uno, como dictan las normas.

A Xihuitl le cuesta dormir con tantas estrellas como puede ver ahora sobre su cabeza, sin árboles que las tapen. Como cada noche, se queda tumbado boca arriba sobre la manta que comparte con su hermano, con las manos detrás de la cabeza, mirando las luces del cielo y oliendo el campo.

Nota de pronto que alguien está de pie junto a él. Se levanta asustado, de un salto. Un hombre desconocido lo mira con curiosidad. Va vestido como un personaje importante. Lleva una espectacular manta dorada y azul con plumas preciosas y trocitos de oro puro cosidos en forma de espirales.

—¿Quién eres tú? —le pregunta a Xihuitl. La expresión de su cara es de una severidad[13] absoluta. Parece viejo, pero no debe de tener más de treinta años.

—¿Yo…? —murmura Xihuitl con miedo.

—Sí, tú. Eres un chiapaneca. ¿Qué haces en esta parte del campamento? —La manta dorada brilla cada vez que el hombre se mueve.

En ese momento aparece su hermano con Chimalma. Al ver al hombre de la manta dorada, el guerrero se arrodilla y baja la cabeza.

—Tú, venerable —exclama Chimalma con respeto.

Manta Dorada señala a Acatzin con un dedo largo y cubierto de adornos de jade.

—¿Otro chiapaneca? ¿Qué está pasando aquí?

Entonces llega Teonahuac. Alguien lo ha avisado y viene con su mejor manta sobre el hombro derecho. Cuando se coloca frente a Manta Dorada, baja la cabeza con una reverencia mucho más corta que la de Chimalma.

GLOSARIO

[12] **frijoles**: judías [13] **severidad**: dureza, rigidez

—Tú, venerable —dice repitiendo la fórmula del guerrero.

—¿Puedes tú explicarme qué hacen estos dos chiapanecas aquí? —le pregunta Manta Dorada—. Deberían estar encerrados con los otros esclavos.

—No son esclavos, mi señor. Los he adoptado como hijos míos.

—Tus…, ¿hijos? ¿Estos animales?

—Sí, mi señor —dice Teonahuac. Sus palabras son respetuosas, pero en sus ojos hay ira[14] y desafío.

Manta Dorada y Teonahuac se miran fijamente durante un rato. Luego, Manta Dorada se da media vuelta y se aleja, como si nada de aquello mereciese[15] más tiempo su atención.

Teonahuac mira furioso a Chimalma. Parece que va a reprocharle[16] algo, pero al final no dice nada. También se gira y se marcha por donde vino.

—¿Quién era ese hombre de la manta dorada? —le pregunta Xihuitl al guerrero.

—Ese era Moctezuma, el sobrino del emperador Ahuízotl. Es un noble severo y rencoroso[17]. Vuestro padre no debería enemistarse con él.

—Teonahuac no es nuestro padre —dice Acatzin con ira.

—Pues hace un momento os ha defendido como si lo fuera.

GLOSARIO

[14] **ira**: furia [15] **merecer**: ser digno de [16] **reprochar**: criticar [17] **rencoroso**: vengativo, con mala intención

Capítulo IV
Acatzin

Durante las siguientes semanas la caravana atraviesa territorios cada vez más secos. Caminan por una llanura interminable, sin árboles, bajo un sol ardiente. Durante miles de años, un imperio tras otro ha explotado aquella región —el de Teotihuacán, el de Tula, el de Tenochtitlán—, hasta dejarla reseca.

A veces se detienen para conseguir alimentos y agua en pequeños poblados, no muy diferentes a los de Chiapán. Son lugares pobres que sobreviven gracias a la cosecha[1] de los campos de maíz que hay a su alrededor y a unos pocos animales domésticos que cría cada familia. Los aztecas les exigen hasta el último grano de maíz, y luego siguen su camino. Como una plaga que deja a su paso miseria y rencor.

El joven Acatzin lo observa todo. Alrededor de la capital del Imperio azteca —o la Triple Alianza, como les gusta llamarse a ellos—, solo hay odio. Los siervos[2] del Imperio no son felices bajo su dominio y, si un hombre consiguiera unirlos a todos en su contra, derrotaría a aquel coloso. ¿Y por qué no podría ser él aquel hombre?

GLOSARIO
[1] **cosecha**: alimentos que se recogen después de cultivar la tierra [2] **siervo**: esclavo

Quizás algún día podrá vengar[3] a su padre y a Chiapán. Pero ahora debe obedecer y aprender del enemigo.

Pasan muchos días, Acatzin no sabe ya cuántos. El camino es interminable; sube y baja por colinas[4] secas. Los prisioneros caminan al final de la caravana, rodeados por guardias aztecas y atados unos a otros por el cuello. Arrastran[5] los pies, agotados por el calor. Algunos deliran[6] bajo el calor del sol o se desmayan[7] por el camino.

Acatzin entrecierra sus ojos e intenta distinguir a su padre. Pero es inútil, están demasiado lejos, así que solo reza[8] a los dioses para que esté bien.

«Aguanta un poco más, padre», piensa.

La caravana pasa junto a una gran ciudad amurallada, pero no se acerca a ella en busca de alimento. Es más, Acatzin tiene la sensación de que el ejército azteca da un amplio rodeo[9] para evitarla. Pregunta a Chimalma por aquella ciudad.

—Esa es Tlaxcala, y no nos darían agua aunque nos muriésemos de sed.

—¿Es que son enemigos vuestros? —pregunta Acatzin.

—Enemigos encarnizados[10] —le responde—. Ahora estamos en sus tierras, así que nos atacarán si nos detenemos demasiado tiempo en ellas.

—¿Enemigos del Imperio? Pensé que ya estábamos cerca de la capital.

—Y lo estamos —dice Chimalma. Señala a lo lejos—. ¿Ves esas montañas nevadas de allí? Tenochtitlán está al otro lado.

Acatzin se extraña.

GLOSARIO

[3] **vengar**: satisfacer una ofensa con otra [4] **colina**: montaña baja [5] **arrastrar**: moverse sin levantar el cuerpo o (aquí) los pies del suelo [6] **delirar**: alucinar, desvariar, estar temporalmente perturbado [7] **desmayarse**: perder el conocimiento [8] **rezar**: orar, pedir algo a los dioses [9] **rodeo**: vuelta larga que se da para evitar algo [10] **encarnizado**: (aquí) mortal

—¿Un imperio tan poderoso como el vuestro tiene enemigos tan cerca?

El guerrero se encoge de hombros[11].

—A veces es bueno tener enemigos tan cerca. Así, si necesitamos prisioneros para los sacrificios, no tenemos que ir a buscarlos tan lejos como a vosotros.

El terreno se vuelve más salvaje e irregular.

Llegan frente a aquellas dos grandes montañas que dominan el horizonte. La nieve cubre sus cimas y de una de ellas sale una enorme columna de humo gris que se pierde entre las nubes.

—La más alta es Iztaccíhuatl, «la princesa muerta» —le explica Chimalma—. La otra es Popocatépetl, que en nuestra lengua significa «montaña que humea». Para entrar en Tenochtitlán tendremos que cruzar entre las dos. Preparaos a pasar frío.

—¿Hablas en serio? —dice Acatzin—. ¿Frío en esta tierra abrasada por el sol?

Chimalma sonríe.

—Ya lo verás, muchacho.

Suben por un paso entre las dos montañas y la temperatura baja rápidamente.

Empieza a nevar. Sus delgadas ropas de la selva chiapaneca no son adecuadas para aquel clima y Xihuitl tiembla. Acatzin lo aprieta[12] contra su cuerpo para mantenerlo caliente y los dos hermanos siguen caminando juntos. Atraviesan un sendero cubierto por la nieve. Los dos hermanos están agotados y caminan abrazados.

Entonces, de repente, la niebla se despeja y el paisaje se abre ante ellos.

GLOSARIO

[11] **encogerse de hombros**: gesto con el que se indica indiferencia o desconocimiento

[12] **apretar**: presionar una cosa contra otra

Es impresionante.

Acatzin ve una inmensa llanura con algunos picos montañosos. A lo lejos brilla un lago gigantesco y en el centro se ve una ciudad blanca como la nieve. Pequeñas columnas de humo suben hacia el cielo. Campos cultivados, rectangulares, de color verde intenso...

Tenochtitlán.

Pasan la noche al pie de los volcanes, y a la mañana siguiente caminan hacia la capital del Imperio azteca.

Los aztecas la construyeron en una pequeña isla en el lago Texcoco, y luego, para ampliarla, rellenaron con arena las áreas de su alrededor.

La caravana atraviesa una amplia calzada[13] construida sobre el agua. Por el camino encuentran a cientos de personas que se apartan a su paso y saludan con reverencia[14] a los capitanes.

Acatzin y su hermano no saben adónde mirar, fascinados por aquel mundo asombroso que los rodea, lleno de colores, olores, y sonidos cambiantes.

Entran en la ciudad por una avenida ancha y recta. El suelo es de tierra, con un canal de desagüe[15] en medio. A los lados de la calle hay casas de dos plantas de adobe[16] blanco, con amplios patios cubiertos con toldos[17] de algodón, también con viveros de peces y huertos con fruta y verdura.

Xihuitl nunca había visto una ciudad tan grande, tan ordenada y tan llena de gente. En el centro de la ciudad hay lujosos palacios de piedra con patios en los que crecen árboles. Los tejados son planos y casi todos tienen hermosos jardines

---

GLOSARIO

[13] **calzada**: camino pavimentado y ancho [14] **reverencia**: saludo en el que se inclina el cuerpo para mostrar respeto [15] **desagüe**: conducto para dejar salir el agua [16] **adobe:** masa de barro y a veces paja que se usa para construir muros [17] **toldo**: tela que se usa para hacer sombra

sobre ellos. La gente situada a los dos lados de la avenida y sobre las terrazas de las casas los vitorean[18] al pasar.

—¿Qué es esto? —pregunta Xihuitl—. ¿Dónde estamos, hermano?

—Tenochtitlán.

—Es un lugar maravilloso. ¿Así son las ciudades de los dioses?

—No son dioses, hermano, sino hombres que sangran y mueren como nosotros.

La avenida que recorren termina en el gran Centro Ceremonial de Tenochtitlán. Pero Acatzin y su hermano no llegan a él. Chimalma los saca antes y se los lleva por una calle lateral a un hermoso palacio. Un muro rodea varias habitaciones individuales que dan a un patio abierto en el centro.

Entran en la más cercana. Las losas[19] del suelo son de piedra blanca y los techos de madera. Las paredes están cubiertas con toldos de algodón. No hay muebles, solo esteras[20] en el suelo para sentarse o tumbarse.

Y su padre los espera en el centro de la sala.

GLOSARIO

[18] **vitorear**: aplaudir o celebrar a una persona o una acción con gritos [19] **losa**: piedra llana y plana que se usa para cubrir suelos y otras superficies [20] **estera**: alfombra hecha de tejido vegetal

pista 05

Capítulo V
Sacrificio

Los dos hermanos se abrazan con fuerza a Nalaalau. Están a punto de[1] hacerlo caer porque el chiapaneca lleva las manos atadas a la espalda.

—Un poco de calma —dice Chimalma de mal humor, rodeando al hombre y cortando las cañas que lo ataban—. Mi señor Teonahuac me ha dicho que tenéis hasta el mediodía. Entonces volveré para llevar a Nalaalau con el resto de los prisioneros. No salgáis de esta sala.

Dicho esto, el guerrero azteca se da la vuelta y sale de la habitación. Entonces Nalaalau puede por fin abrazar a sus dos hijos con fuerza. Cuando se aparta de ellos hay lágrimas en sus ojos, que se limpia con la mano. El viaje ha sido muy duro para él. Es solo piel y huesos y tiene las mejillas[2] tan hundidas que es difícil reconocer al orgulloso[3] capitán que una vez fue.

Sin embargo una expresión de total felicidad ilumina su rostro cuando dice:

—Teonahuac ha cumplido lo que le pedí. No puedo desear más felicidad antes de abandonar este mundo que ver a mis dos hijos fuera de peligro. Doy las gracias a los dioses.

GLOSARIO

[1] **estar a punto de**: faltar muy poco tiempo para [2] **mejilla**: cada uno de los lados de la cara por debajo de los ojos [3] **orgulloso**: digno, arrogante

—Aún es pronto para pensar en eso, padre —dice Acatzin con orgullo, aunque sus ojos están también llenos de lágrimas—. Aún podemos intentar escapar…

—¿Y adónde iríamos?

—A alguno de los pueblos cercanos. He estado atento durante el viaje y he observado que Tenochtitlán está rodeada de enemigos. Si alguien consiguiera unirlos bajo una sola voz, la ciudad caería ante sus pies.

Nalaalau niega con la cabeza y con un gesto de ternura[4] acaricia[5] el pelo de Acatzin.

—No, hijo mío. Los dioses han hablado y nosotros tenemos que aceptar su decisión. Los aztecas nos derrotaron en una lucha justa, y ahora nuestro destino está en sus manos.

—Aún podemos luchar, padre… —exclama Acatzin.

—Para mí ya no hay otro camino. Mi honor me obliga a aceptar el sacrificio.

—¡No! Eso nunca, padre.

Nalaalau apoya sus manos en los hombros de Acatzin y espera con calma a que su hijo se tranquilice. Entonces dice:

—Los aztecas llaman al sacrificio *nextlaoaliztli*, «el pago». Dicen que los que mueren bajo el cuchillo de obsidiana tienen asegurada la vida en el otro mundo.

—Padre, no puedo aceptar que te hayas rendido sin luchar hasta el final.

Nalaalau levanta la mano pidiendo silencio a su hijo mayor.

—Escúchame hijo, por favor. Mi victoria final sois vosotros. Vosotros dos. Perdí a vuestra madre hace muchos años… Tú no la conociste… —Nalaalau acaricia el pelo del pequeño—, pero ella te adoraba antes de nacer. El día de su muerte le juré[6] que cuidaría de vosotros, que vuestra vida sería plena[7] y que le daríais muchos nietos. Y que sus nietos sabrían de ella porque yo les hablaría de su abuela. Claro, por entonces no sabíamos nada de los aztecas, así que esa parte de mi promesa no podré cumplirla. Pero me voy feliz porque sé que ahora vosotros dos estáis a salvo.

—¿Es que nuestro destino es convertirnos en aztecas?

—Los dioses os han favorecido y ahora no podéis rechazar su regalo. Júrame que aceptarás lo que ellos te han dado, hijo mío, y que cuidarás siempre de tu hermano.

Acatzin duda durante un buen rato, pero Nalaalau insiste y finalmente el muchacho lo jura.

—¡Padre! —grita Xihuitl abrazándolo con todas sus fuerzas— ¡No te vayas, por favor, no nos dejes aquí solos!

Nalaalau rodea con los brazos a sus dos hijos.

—Siempre estaré con vosotros. Ya nada puede separarnos, porque siempre estaré mirándoos desde lo alto. Como guerrero que ha luchado noblemente, como sacrificado a los dioses, me convertiré en «compañero del águila», un *quauhtecatl*, que en la lengua azteca es «el que acompaña al Sol». Cada día ocuparé mi lugar entre los guerreros que recorren con el Sol su camino por el cielo. Allí estaré con mis compañeros muertos en las batallas del pasado y nuestras horas serán felices y brillantes, cantaremos canciones de guerra y simularemos combates. No sufráis por mí, hijos míos, porque yo deseo con fuerza completar mi destino.

Los tres permanecen[8] juntos durante los siguientes minutos, recordando momentos del pasado, riéndose y bromeando[9] con los buenos recuerdos, hasta que llega la hora y Chimalma regresa con otros dos guardias para llevarse a Nalaalau. El capitán chiapaneca abraza con fuerza a sus hijos y los besa emocionado, hasta que los guardias le ponen las manos a la espalda y se las atan.

GLOSARIO

[8] **permanecer**: quedarse en [9] **bromear**: hacer bromas y comentarios divertidos

—Tenéis que vivir por todos los que han muerto —les dice a sus hijos mientras se lo llevan—. Convertíos en aztecas, pero no olvidéis nunca a vuestros antepasados[10].

Nalaalau se reúne con el resto de los cautivos y lo preparan como a los demás para la ceremonia. Desnudo, tiene el cuerpo pintado con rayas negras y blancas que representan el amanecer. En el pelo le han pegado[11] bolas de plumas que simulan las estrellas, porque según el mito de la «guerra celestial» de los aztecas, el Sol sobrevive porque cada noche devora[12] cuatrocientas estrellas que ha vencido en la lucha.

Por orden de los guardias, los prisioneros forman una larga fila[13] y van hacia el Templo Mayor. Recorren así las calles de Tenochtitlán y llegan al Centro Ceremonial. El lugar está lleno de gente que vitorea y lanza flores blancas a los guerreros que desfilan[14] también hacia la gran pirámide del Templo Mayor.

Nalaalau ve a Teonahuac entre los capitanes. Va vestido con una rica manta de plumas, cubiertas de joyas[15], con collares y cinturones con serpientes y cráneos[16] humanos hechos de oro. Nalaalau le hace una reverencia cuando pasa a su lado.

—Gracias —le dice inclinando la cabeza con respeto.

—La muerte y la vida solo son dos aspectos de una misma realidad —le responde Teonahuac—. Quizá, algún día, tú y yo lucharemos juntos en la morada[17] del Sol.

—Quizá —contesta Nalaalau.

Todos suben por las escaleras de la parte de detrás del Templo Mayor. Está dividido en cuatro plataformas, y en la superior están los dos santuarios gemelos, Tlaloc y

---

GLOSARIO

[10] **antepasado**: ascendiente lejano [11] **pegar**: adherir, unir o fijar una cosa a otra [12] **devorar**: comer con ganas [13] **fila**: serie de personas colocadas en línea, una detrás de otra [14] **desfilar**: marchar un ejército en formación [15] **joya**: adorno de oro, plata o platino, con perlas o piedras preciosas o sin ellas [16] **cráneo**: parte del esqueleto que corresponde a la cabeza [17] **morada**: casa, vivienda

Huitzilopochtli, la lluvia y el sol, las dos fuerzas que determinan la prosperidad[18] de la tierra.

El emperador Ahuízotl se sienta en el lugar de honor situado entre los dos templos. Está acompañado por los señores de Texcoco y Tlacopán, las dos ciudades aliadas. El Mujer Serpiente, el sacerdote principal de Tenochtitlán, hace una reverencia a los tres señores y luego se coloca detrás de la gran piedra verde del sacrificio, en el centro de la plataforma. Uno de sus servidores le entrega el cuchillo ritual de obsidiana.

La primera víctima llega hasta la plataforma seguida por el guerrero que lo ha capturado. Camina hasta la piedra verde, tras la que lo espera el Mujer Serpiente. Se coloca boca arriba sobre la piedra y cuatro sacerdotes lo sujetan por los brazos y las piernas.

El Mujer Serpiente clava su cuchillo en el pecho del guerrero, corta hacia un lado, y mete la mano en la herida para arrancarle[19] el corazón. Lo sujeta en el aire, palpitante[20], goteando sangre, mientras las miles de personas reunidas en el Centro Ceremonial gritan de entusiasmo. Un sacerdote acerca una vasija en la que el Mujer Serpiente exprime[21] el corazón como una fruta madura a la que quisiera sacar hasta la última gota de jugo. Luego lleva el corazón y la sangre al Templo de Huitzilopochtli, para alimentar con ellos a su dios.

Dos guardias se llevan el cadáver hasta el borde de la plataforma. Lo empujan escaleras abajo y baja los ciento trece escalones rodando sobre sí mismo. En el pie de la pirámide, unos guerreros ancianos le cortan la cabeza y la clavan en una estaca[22] del *tzompantli*, la plataforma de piedra que hay frente al Templo Mayor.

GLOSARIO

[18] **prosperidad**: riqueza [19] **arrancar**: separar violentamente [20] **palpitante**: que palpita, que funciona (el corazón) [21] **exprimir**: extraer el jugo de una fruta apretándola [22] **estaca**: palo afilado en un extremo para clavarlo

Dos pajes se llevan lo que queda del cadáver. Lo arrastrarán por las calles de Tenochtitlán hasta la casa del guerrero que lo capturó, donde cortarán su carne en pedazos y la cocinarán con pimientos, tomates y flores aromáticas, y se la comerán en una cena ritual.

Teonahuac sujeta a Nalaalau por el brazo.

—Es tu momento, hermano —le dice.

—Vamos —responde el chiapaneca—. Estoy preparado.

Mientras camina hacia la piedra del sacrificio, Nalaalau mira a lo lejos.

Tenochtitlán está a sus pies. Las múltiples calzadas que unen la ciudad con tierra firme, las calles rectas, la red de canales que a aquella hora del día parecen hilos de plata.

Las casas de los nobles con tejados planos y jardines plantados en sus azoteas[23].

La vegetación verde y las flores de brillantes colores que crecen sobre plataformas flotantes[24]. El lago como un espejo azul con canoas, unas que llegan con provisiones y otras que se alejan con carga y mercaderías.

Los pueblos blancos situados al otro extremo del lago.

El volcán que echa humo y las montañas cubiertas de nieve.

«¡Qué hermoso es el mundo!», piensa con emoción mientras se tumba[25] sobre la piedra ensangrentada.

GLOSARIO

[23] **azotea**: cubierta más o menos llana de un edificio [24] **flotante**: que flota, que permanece sobre el agua sin hundirse [25] **tumbarse**: echarse, ponerse en situación horizontal

Capítulo VI
Ixtlixochitl

El jardín de la casa es grande y hermoso y tiene en el centro una fuente de agua. El aroma de las flores lo impregna todo. Una mujer y una niña están sentadas sobre una estera blanca de algodón, frente a una pared de color azul celeste.

La niña se llama Ixtlixochitl, que en azteca significa «cara de flor».

Y Xihuitl cree que no puede haber en el mundo un nombre mejor elegido.

Es la única hija de Teonahuac. Su madre se llama Acaualxochitl, «flor en el agua», y las dos tejen[1] plumas de colores sobre una red. De vez en cuando, madre e hija miran a los dos muchachos[2] que han llegado desde las salvajes selvas del sur. En los ojos de la niña solo hay curiosidad[3], pero en los de la mujer hay miedo y rencor.

Acatzin y Xihuitl están de pie en el centro de una gran sala del palacio de Teonahuac. El lujo[4] de las mansiones aztecas no está en los muebles ni en la comodidad, sino en el número de las habitaciones y en la riqueza de los jardines. Toda una pared se abre al gran espacio verde del jardín, con sus laberintos de

---

GLOSARIO

[1] **tejer**: entrelazar hilos para formar telas u otras cosas semejantes [2] **muchacho**: niño o chico joven [3] **curiosidad**: interés [4] **lujo**: abundancia de riqueza

arbustos[5], su fuente y su estanque[6] con peces, las flores, las jaulas[7] con pájaros de brillantes colores.

Los dos hermanos ya saben que Teonahuac es uno de los jefes de Tenochtitlán. La ciudad está dividida en barrios, llamados *calpulli*, cada uno con su propio Centro Ceremonial.

Al frente de cada *calpulli* está el *calpullec*, el cacique[8] elegido de por vida[9] por sus habitantes y confirmado por el emperador. Normalmente, el cargo pasa de padres a hijos, pero Teonahuac y su mujer solo han tenido a aquella hermosa niña. Ahora aquellos dos muchachos extranjeros son su esperanza para el futuro.

Pero la esposa de Teonahuac los mira con rencor. Se pone en pie y los señala[10].

—Son unos salvajes —dice.

—No lo son. Son hijos de un valiente noble del sur.

—¡Has metido a dos serpientes[11] venenosas[12] en nuestra casa! —grita—. ¡Cuando caiga la noche nos matarán en nuestras camas y violarán[13] a nuestra hija!

—¡Ya basta[14]! —exclama Teonahuac alzando una mano—. Estos dos muchachos aprenderán a ser nuestros hijos, y tú aprenderás a aceptarlos como tales. Esa es la voluntad de los dioses al no darme hijos y al ponerlos a ellos en mi camino.

—Dices que el mayor intentó matarte con un cuchillo —insiste Acaualxochitl.

—En el *telpochcalli* le enseñarán educación.

—¿Es que los llevarás ya a la escuela de guerreros?

—Sí.

GLOSARIO

[5] **arbusto**: planta parecida a un árbol pequeño [6] **estanque**: pequeño lago artificial [7] **jaula**: caja con barras donde se tiene a los animales [8] **cacique**: gobernador de una provincia o pueblo de indios [9] **de por vida**: hasta su muerte [10] **señalar**: indicar o referirse a alguien con el dedo [11] **serpiente**: culebra, reptil largo y sin pies que se arrastra y puede ser venenoso [12] **venenoso**: que contiene veneno, una sustancia dañina e incluso mortal cuando entra en el cuerpo de un animal o un ser humano [13] **violar**: forzar a alguien a tener relaciones sexuales [14] **basta**: es suficiente

—Son muy jóvenes para el *telpochcalli*, lo normal es ingresar a los quince años.

—Como jefe de la escuela haré una excepción y llevaré al mayor hoy mismo. El menor irá al *calmecac* —la escuela religiosa reservada a los hijos de los nobles—. No te preocupes, los sacerdotes vendrán a recogerlo dentro de un momento.

Acaualxochitl cruza los brazos. Sigue enfadada, pero al menos está contenta de que los dos niños no pasen la noche en la casa.

—¿Por qué no llevas a los dos al *telpochcalli*? —dice—. Allí les enseñarán disciplina a ambos.

—No quiero que crezcan juntos. Será más fácil domarlos[15], y que olviden sus orígenes, si crecen separados.

La mujer se acerca entonces al capitán. Todavía es joven, y en su cara aún se reconoce la belleza que su hija ha heredado[16], pero tiene algunas arrugas[17] alrededor de sus ojos y en la frente[18] que anuncian su cercana madurez[19].

—No los necesitamos —dice abrazando a su esposo—. Yo aún te puedo dar un hijo, mi señor. Dame la oportunidad y te lo demostraré.

Teonahuac se aparta de su abrazo y le dice con dureza:

—Mujer, compórtate[20], que estás ante extraños.

—Extraños, sí —ella lo mira desafiante—, y tú quieres que los acepte como si fueran mis hijos. Pero solo son extranjeros que no tienen nada y que no merecen nada.

—Di que no tienen nada, pero no digas que no lo merecen —le responde Teonahuac furioso—. No eres tú quien puede decidir quién merece o no algo, sino los dioses que lo observan todo desde lo alto. ¿Y cómo puedes llamarlos extranjeros tú, precisamente tú, que un día llegaste a Tenochtitlán como ellos?

GLOSARIO

[15] **domar**: amansar y educar a un animal [16] **heredar**: recibir los bienes de alguien que muere [17] **arruga**: pliegues de la piel que aparecen con la edad [18] **frente**: parte de la cara entre el pelo y los ojos [19] **madurez**: edad avanzada [20] **comportarse**: portarse de acuerdo a unas normas

La mujer se yergue[21] con orgullo. Sus grandes ojos negros brillan de ira.

—Yo nací en Tlaxcala, es verdad, pero no soy extranjera en este lugar. Mis antepasados vivían en el lago Texcoco mucho antes de que los aztecas vinieran.

Tlaxcala, piensa Acatzin. Esa era la ciudad amurallada que había visto poco antes de llegar a las montañas que rodeaban Tenochtitlán. Chimalma le había contado entonces con orgullo la historia de los aztecas. Nadie sabía de dónde venían, ni ellos mismos. Tan solo tenían un nombre de un lugar, en el lejano norte, del que procedían:

Aztatlán, que significaba «el lugar de las garzas[22]».

Pero los habitantes del lago Texcoco los llamaron: «los que no tienen nada».

Los consideraron unos salvajes e ignorantes extranjeros, bárbaros hambrientos que habían venido solo para robarles sus tierras y todo lo que tenían… Y al final así fue.

En ese momento, dos sacerdotes del *calmecac* entran en la estancia. Xihuitl tiembla de terror al verlos aparecer. Altos y extremadamente delgados, visten una túnica negra que les llega hasta los pies. El pelo está duro por una gruesa costra[23] de sangre seca y las orejas llenas de pequeños cortes[24].

—Venimos a por el niño —dice uno de ellos. Tiene la cara pintada de negro y los ojos destacan brillantes. Xihuitl oculta su cara en el pecho de su hermano.

—Tu favor, mi señor —dice Acatzin dirigiéndose a Teonahuac—, déjame que acompañe a mi hermano durante unos días. Solo hasta que se acostumbre a estar solo.

GLOSARIO

[21] **erguirse**: ponerse derecho, levantarse [22] **garza**: ave de patas largas y cabeza pequeña, con pico largo y negro, y amarillo por la base, que vive a orillas de los ríos y pantanos [23] **costra**: cubierta o corteza exterior que se endurece o se seca sobre una cosa húmeda o blanda [24] **corte**: herida producida por un instrumento cortante, afilado

Teonahuac niega con la cabeza.

—El *calmecac* no es lugar para ti. Tú vendrás conmigo ahora a la escuela de guerreros, y allí conocerás a los que van a ser tus nuevos camaradas.

Uno de los sacerdotes sujeta a Xihuitl por la cintura[25] y lo levanta con facilidad. El pequeño se resiste[26] y llora, y lanza patadas[27] intentando que aquel horrible sacerdote lo suelte. Pero este lo tiene bien agarrado y le tapa la boca con su mano sucia.

Xihuitl mira desesperado a su hermano y extiende los brazos hacia él.

—Cálmate —le dice Acatzin—, no te va a pasar nada. Son solo hombres con la cara pintada. Tienes que portarte bien o te castigarán.

Los ojos de Xihuitl están enloquecidos por el terror, su cara enrojecida, y no deja de pelear mientras los siniestros sacerdotes se lo llevan fuera de la sala.

—¿Qué va a ser de él? —le pregunta Acatzin a Teonahuac.

—No sientas pena por él. Los sacerdotes le enseñarán a comportarse. Preocúpate por ti, porque vas a ir al *telpochcalli*, la escuela de guerreros donde el entrenamiento es tan duro que hace desmayarse a jóvenes que tienen dos años más que tú.

—No tengo miedo —dice Acatzin, aunque su voz tiembla.

—Así me gusta —le responde Teonahuac divertido—. Ven conmigo entonces.

Mientras salen de la habitación, Acatzin mira a la hermosa Ixtlixochitl, y entonces ve en sus ojos algo que le da más miedo que el odio de su madre o el siniestro aspecto de los sacerdotes.

Pero en aquel momento no sabría decir qué es.

GLOSARIO
[25] **cintura**: parte más estrecha del cuerpo, por encima de las caderas [26] **resistirse**: ofrecer resistencia, defenderse [27] **patada**: golpe que se da con la pierna

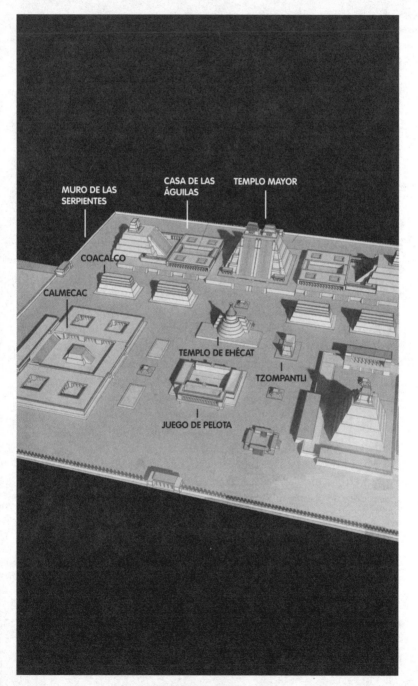

Centro Ceremonial de Tenochtitlán

Capítulo VII
Sacerdotes

Calmecac significa «pasillo» en la lengua de los aztecas, y eso es precisamente lo que Xihuitl tiene delante: pasillos interminables por los que los sacerdotes caminan junto a sus discípulos, mientras hablan de las cosas del mundo y de las del más allá.

Xihuitl ha dormido la primera noche sobre la arena húmeda[1] de una celda[2], como castigo a sus gritos e intentos de escapar del *calmecac*. A la mañana siguiente, varios novicios[3] aparecen en la celda, le afeitan la cabeza y lo bañan. Le hacen ponerse la ropa que usan todos los novicios: el *maxtle*, que es una especie de taparrabo[4] hecho con una tira de algodón.

Luego lo acompañan por uno de los pasillos recubiertos de losas blancas y pulidas. Lo llevan hasta uno de los jardines, un espacio cuadrado rodeado por unos muros decorados con pinturas del dios del viento Quetzalcoatl, la serpiente emplumada, el patrono de los *calmecac*. Las imágenes del dios más sabio y bondadoso[5] de los aztecas se ven en las paredes iluminadas con colores brillantes. La cola de su cuerpo de

---

GLOSARIO

[1] **húmedo**: ligeramente impregnado de agua [2] **celda**: habitación sencilla [3] **novicio**: principiante [4] **taparrabo**: pedazo de tela con el que se cubren los genitales [5] **bondadoso**: bueno, magnánimo

serpiente toca el suelo y representa lo material, lo oscuro y lo mortal. Por el contrario, su cabeza cubierta de plumas se eleva entre las nubes, el aire, la luz y lo espiritual. Como los sacerdotes, que crean un puente entre el mundo de los hombres y el mundo de los dioses.

Aquel jardín es extraño. En lugar de hierba hay gravilla[6] y piedras. Y en lugar de plantas y flores hay cactos de diferentes tamaños y especies. Xihuitl se sienta en el suelo, junto con los otros novicios, y entonces aparece uno de los *tlamacazque* —así se llaman los sacerdotes que se dedican a la educación— y se sienta frente a ellos. Es un anciano venerable con la piel arrugada.

—Jóvenes aztecas —dice—, vuestra educación tiene solo un propósito: formar vuestro espíritu como hombres de la Triple Alianza. Aquí no habéis venido a ser respetados, sino a respetar y a obedecer[7] con humildad[8] y dolor. Cada mañana de cada día, cada uno de vosotros cortará una espina[9] de uno de estos cactos para sacar sangre de vuestras orejas y ofrecérsela a los dioses. Cada noche, aunque el aire helado baje de las montañas, os bañaréis y limpiaréis vuestro cuerpo. Y cuando vuestros superiores decidan que es tiempo de ayuno[10], obedeceréis aunque sintáis que no podéis más. Esta es una escuela para aprender a dominar vuestra naturaleza y endurecer vuestro espíritu.

El sacerdote hace una pausa y se pasa la mano por el pelo blanco.

—Aquí también aprenderéis a hablar con corrección, saludar y hacer reverencia a vuestros superiores. Aprenderéis a

---

GLOSARIO

[6] **gravilla**: conjunto de piedras muy pequeñas [7] **obedecer**: cumplir las normas, seguir las instrucciones [8] **humildad**: modestia, sumisión [9] **espina**: saliente en punta que tienen algunas plantas en su tallo, como las rosas [10] **ayuno**: período en el que se renuncia a la comida total o parcialmente

leer y a recitar los versos de los divinos cantos. Y también a leer los mensajes en las estrellas, a interpretar los sueños, la cuenta de los años... —el anciano se detiene de repente y se queda mirando a Xihuitl, como si lo hubiera reconocido—. Tú..., ¿no eres el niño que vino del sur?

—Sí, señoría... —murmura Xihuitl tímidamente.

—No me llames señoría —dice el anciano—, aquí no hay «señores», solo sacerdotes. Yo soy tu *tlamacazque*, tu profesor.

—Sí, *tlamacazque*.

—Dime una cosa, muchacho, ¿qué es el tiempo para ti?

Xihuitl traga[11] saliva[12]. El resto de novicios se han vuelto hacia él y lo miran con atención. Todos tienen las cabezas afeitadas y, al menos, tres años más que él.

—Yo... —murmura Xihuitl, sintiendo que le arde la cara por la vergüenza[13]—. Bueno, mi padre decía que el tiempo eran dos grandes ruedas[14] que giran juntas...

El anciano *tlamacazque* rechaza sus palabras con un gesto de la mano.

—¡No! ¡Falso! Eso es lo que dicen los sacerdotes del pueblo maya, ¿verdad? Y las tierras de las que vienes están muy cerca de los reinos mayas, así que es normal que creas eso, pero es falso. Una idea muy bonita pero peligrosa en sí misma, que demuestra la debilidad del carácter del pueblo maya y que, sin duda, explica su decadencia. El tiempo, muchachos, no puede simbolizarse por dos ruedas que giran en una elegante danza eterna en medio de la nada. Por el contrario, los escribas aztecas representan el tiempo con una hoguera. Porque el tiempo es el fuego en el que se consumen nuestros cuerpos. Vida a cambio de muerte, ese es el principio básico del universo. El mundo se

---

GLOSARIO
[11] **tragar**: hacer pasar un alimento de la boca al estómago [12] **saliva**: líquido que producen en la boca los seres humanos y algunos animales [13] **vergüenza**: timidez, rubor [14] **rueda**: pieza redonda que gira sobre un eje

quema día a día en la gran hoguera del tiempo. Siempre está a punto de consumirse y solo los sacrificios pueden mantener vivo el universo.

El anciano arranca un trocito del encalado[15] de la pared que está a su derecha y lo deshace entre sus dedos. Luego deja caer el polvillo frente a él.

—Fijaos cómo la misma piedra se degrada y se convierte en polvo, igual que mi cuerpo envejece y se arruga. Hasta el Sol se transformará en ceniza[16] si no lo alimentamos cada día con los sacrificios. La vida solo continuará si devora a la vida.

La clase termina poco después, y cuando Xihuitl va hacia el pasillo junto con el resto de los novicios, el anciano sacerdote le hace una señal para que lo siga. El muchacho camina detrás de él en silencio. Teme que va a recibir un castigo por haber dicho que el tiempo era una rueda y no una hoguera, o por cualquier otro motivo igual de extraño, pero lógico para los sacerdotes aztecas.

Atraviesan un patio con árboles frutales y llegan a un edificio de piedra que forma parte del complejo del *calmecac*. Es un edificio con las paredes pintadas con preciosos dibujos en colores brillantes, azules, rojos y blancos.

Llegan a una amplia sala cuadrada. Hay varios montones de códices[17] junto a las paredes. Son cajas recubiertas con piel de jaguar que contienen un largo trozo de papel plegado[18]. Los sacerdotes están sentados en el suelo, tan concentrados en su trabajo que no los miran cuando entran. Trazan dibujos y detalles muy pequeños con sus pinceles[19], y llenan una página tras otra a gran velocidad.

GLOSARIO

[15] **encalado**: cubierta de cal de las paredes u otras superficies [16] **ceniza**: polvo gris que queda tras el fuego [17] **códice**: libro escrito a mano antes de la invención de la imprenta [18] **plegar**: doblar en partes iguales las hojas de un libro o una lámina de papel [19] **pincel**: instrumento que se utiliza para pintar, escribir o dibujar

—Este es nuestro Templo del Calendario —le explica el sacerdote—. Los aztecas también usamos dos calendarios, como los mayas. En realidad no somos tan diferentes. Tenemos el calendario *xiuhpohualli*, que utilizamos para calcular las festividades, registrar los sucesos importantes y fechar el cobro de tributos[20]. Tiene trescientos sesenta días, más los cinco días malos. Y tenemos también el *tonalpohualli*, que es nuestro calendario ritual y consta de doscientos sesenta días. Contar los días es uno de los deberes más importantes de los sacerdotes. El señor Teonahuac me dijo que te interesan las cosas del cielo y, por cómo contestaste antes a mi pregunta, veo que es cierto. Dime, muchacho, ¿te gustaría trabajar en el Templo del Calendario?

Xihuitl traga saliva. No sabe exactamente a qué se va a comprometer con su respuesta, pero sospecha[21] que es una decisión muy importante. El viejo sacerdote espera pacientemente sus palabras.

—Yo... —murmura[22]—, no sé qué debería hacer aquí...

—Calcular cuándo son los solsticios[23], los rituales, los festivales, las fechas del mercado, el pago de los impuestos...

Xihuitl sigue dudando. En aquel momento, ni se imagina cómo se puede hacer algo así. ¡Contar el tiempo! Siempre ha sido un muchacho inquieto[24], soñador, al que le cuesta mantener la atención en una sola cosa. Su padre le decía que lo despistaba el paso de una mosca, así que eso de «contar el tiempo» le parece dificilísimo. ¿Cómo se hace?

Mientras busca una respuesta, ve lo que uno de los escribas[25] está dibujando en el códice. Son estrellas en el cielo,

---

GLOSARIO

[20] **tributo**: dinero o bienes que se pagan al Estado [21] **sospechar**: intuir, suponer [22] **murmurar**: decir en voz baja [23] **solsticio**: época en que el sol está en uno de los dos trópicos y que coincide con el día más largo del año (solsticio de verano) y el más corto (solsticio de invierno) [24] **inquieto**: curioso, interesado [25] **escriba**: copista, persona que copiaba los textos de otros antes de la invención de la imprenta

constelaciones, cometas, las fases de la Luna registradas día a día, el camino del planeta Venus por el firmamento[26]. Entonces lo comprende todo.

Se vuelve hacia el sacerdote y le dice:

—Sí, *tlamacazque*, quiero trabajar en el Templo del Calendario.

GLOSARIO

[26] **firmamento**: bóveda celeste en que están los planetas, estrellas, etc.

Capítulo VIII
El camino del guerrero

Teonahuac acompaña al joven Acatzin al *telpochcalli*, la escuela de guerreros. Las paredes del gran edificio de piedra blanca están cubiertas de extraños y siniestros[1] bajorrelieves[2] que representan los combates interminables entre los dioses. La escuela tiene varias salas y muchas habitaciones alrededor de un gran patio central, que es donde los jóvenes guerreros practican sus ejercicios y entrenamientos[3].

El *telpochcalli* es también la casa comunal de los guerreros del barrio que dirige Teonahuac. Chimalma es uno de estos guerreros y, en ese momento, se ejercita en el patio con una pesada[4] macana. Al ver llegar a su capitán con el joven Acatzin, deja la macana junto a la pared y se seca el sudor[5]. Se inclina ante su señor.

—Tú, venerado —le saluda formalmente—, aquí estoy a tu servicio. Esperaba la llegada de tu pupilo[6] para empezar su entrenamiento.

GLOSARIO

[1] **siniestro**: oscuro, tétrico [2] **bajorrelieve**: imágenes que se esculpen en un muro u otra superficie [3] **entrenamiento**: ejercitación, preparación para un combate [4] **pesado**: que tiene mucha masa, que pesa mucho [5] **sudor**: líquido que segrega la piel, a menudo por efecto del calor o de un esfuerzo [6] **pupilo**: alumno

El resto de los guerreros y los alumnos presentes en el patio forman un círculo alrededor de ellos. Teonahuac dice las palabras rituales para que todos puedan oírlas:

—Acatzin, nuestro dios Tezcatlipoca, creador del cielo y de la tierra, te ha traído aquí. Todos deben saber que nuestro dios decidió darnos un hijo, como una joya o pluma rica, que nació en tierras lejanas, pero que se criará[7] y vivirá entre nosotros. Es varón y no debe estar en casa aprendiendo los trabajos de las mujeres. Por lo tanto te lo entrego a ti, Chimalma, como si fuera tu propio hijo, para que lo eduques aquí como a cualquier otro muchacho. Muéstrale nuestras costumbres y entrénalo con dureza para que sirva a los dioses en la guerra.

—Así lo haré, venerado señor —asegura Chimalma inclinándose de nuevo.

Teonahuac no dice nada más. Deja al muchacho en medio del patio y abandona el *telpochcalli* sin mirar hacia atrás.

Chimalma se queda mirando a Acatzin con un gesto de fastidio[8].

—Dime una cosa, chico, ¿sabes por qué el señor Teonahuac te ha traído aquí? El *telpochcalli* no es una escuela para los hijos de los nobles. Tu lugar está en el *calmecac*.

—Mi hermano está en el *calmecac* —le responde Acatzin—. Creo que Teonahuac no quiere que estemos juntos y hagamos planes para escapar[9]…

A Acatzin lo interrumpe un sonoro[10] bofetón[11] que lo hace caer al suelo.

—Levántate —le dice Chimalma con tranquilidad—, y nunca vuelvas a nombrar al señor Teonahuac sin decir «el señor» delante.

GLOSARIO

[7] **criarse**: educarse, crecer [8] **fastidio**: enfado, mal humor [9] **escapar**: huir, liberarse [10] **sonoro**: que produce un ruido fuerte [11] **bofetón**: golpe que se da con la palma de la mano

El muchacho se pone en pie, con una mano en la mejilla dolorida, mirando al guerrero azteca con rencor. Pero no dice nada.

—Esto va a ser muy duro para ti, chico —sigue diciéndole Chimalma—. Eres demasiado joven y estás demasiado débil para la vida en el *telpochcalli*. Pero yo no puedo hacer nada al respecto. Ahora ponte por ahí y observa en silencio.

Acatzin asiente e intenta pasar lo más inadvertido[12] posible. Se sienta en una esquina del patio para observar los combates de los estudiantes. Los muchachos se enfrentan entre sí en parejas, dentro de círculos marcados con cal en el suelo. Se golpean con macanas de entrenamiento en las que, en lugar de piedras, hay plumas impregnadas en pintura azul. Se lanzan golpes y los esquivan[13] con maestría. Pierde el primero que se sale del círculo de cal.

Dos muchachos, que son unos dos años mayores que él, luchan frente a Acatzin.

Uno de los dos jóvenes aztecas retrocede ante los golpes de su contrincante[14], que le pintan el cuerpo de azul. En el límite del círculo intenta contraatacar, pero el otro lo desarma con un golpe seco[15].

—Tu turno, Acatzin. Coge una macana y entra en el círculo —dice Chimalma.

Acatzin coge una de aquellas estacas planas. Estudia su extraño aspecto sin saber qué podrá hacer con ella. Es extraordinariamente pesada e incómoda. Más pesada de lo que había imaginado. En su borde no hay astillas de piedra sino plumas de pavo que gotean pintura azul.

—No sé luchar con esto —dice.

—Xalli te enseñará. ¿No es así, Xalli?

GLOSARIO

[12] **inadvertido**: que no llama la atención [13] **esquivar**: evitar [14] **contrincante**: adversario, rival [15] **seco**: (aquí) fuerte, rápido

Un muchacho asiente y sonríe burlón. Xalli es el más grande de los chicos que se entrenan en el patio. Acatzin parece muy pequeño a su lado. Xalli sujeta la macana con una sola mano, aparentemente sin esfuerzo[16], e invita a Acatzin con un gesto a entrar en el círculo.

Acatzin obedece sin ganas y levanta su arma con las dos manos. Le hace un gesto desafiante a Xalli, que sonríe ante el ingenuo[17] valor del muchacho extranjero.

Los dos se sitúan a la distancia de las macanas, y Chimalma dice con solemnidad:

—El que se salga de la línea blanca en su retirada[18], perderá. ¡Que empiece el combate!

Acatzin lanza un grito y se lanza hacia Xalli. Este detiene su ataque y golpea a Acatzin en las costillas[19] con la parte plana de la macana. El muchacho retrocede, se toca la zona dolorida y comprueba que no tiene ninguna costilla rota. Xalli suelta una risita que enfurece[20] a Acatzin. «No te va a ser tan fácil», piensa. Levanta la macana sobre su cabeza y lanza otro ataque. Xalli se mueve hacia el lado contrario y le da un puñetazo a Acatzin. Giran el uno alrededor del otro. Acatzin sangra por la nariz, le duele el costado[21], pero no le importa. Las macanas resuenan una contra la otra. Tac, tac, tac, haciendo saltar astillas. Un golpe, otro, a derecha e izquierda. Violentos. Brillantes.

—El guerrero tiene que ser implacable[22] —dice Chimalma—. Tienes que ser libre, fluido, imprevisible[23]. Como un recién nacido. Sin rutinas. Sin pasado. Sin amigos.

Acatzin imagina que así debió de ser el combate entre su padre y Teonahuac. Una lucha desesperada[24]. Xalli lo obliga a

---

GLOSARIO

[16] **esfuerzo**: trabajo duro [17] **ingenuo**: inocente, crédulo, que no tiene maldad [18] **retirada**: acción de retroceder y apartarse [19] **costilla**: cada uno de los huesos largos y planos que rodean el pecho [20] **enfurecer**: enfadar [21] **costado**: lado [22] **implacable**: firme, duro [23] **imprevisible**: que no se puede saber con antelación qué va a suceder [24] **desesperado**: que ha perdido la esperanza

retroceder hasta casi el límite de cal, y él se queda en el borde del círculo. El azteca lo golpea en la mandíbula[25] y Acatzin cae al suelo.

Los guerreros y estudiantes que observaban el enfrentamiento estallan en risas ante el inesperado final. Xalli retrocede un paso y deja que Chimalma se acerque para ver la herida. Acatzin escupe[26] un diente y mira al guerrero azteca conmocionado[27].

—No es una herida grave —dice Chimalma—, pero voy a detener el combate.

Acatzin intenta ponerse en pie. El dolor no le deja pensar con claridad, está mareado[28] y tiene ganas de vomitar[29], pero se sobrepone[30] a todo y logra decir:

—No, no ha acabado. Quiero seguir…

—No, el combate terminó. Debes tener paciencia, Acatzin —dice Chimalma, llamándolo por su nombre por primera vez—. Hoy has demostrado más valor que verdadero conocimiento, pero te aseguro que aprenderás a manejar nuestras armas. Yo haré de ti un auténtico guerrero azteca, joven Acatzin.

GLOSARIO

[25] **mandíbula**: huesos que limitan la boca y en los que están los dientes [26] **escupir**: arrojar algo de la boca [27] **conmocionado**: turbado, con emoción [28] **mareado**: aturdido [29] **vomitar**: arrojar por la boca el contenido del estómago [30] **sobreponerse**: recuperarse, reanimarse

Capítulo IX
El pájaro espejo

Han pasado cinco años desde aquel combate. El emperador Ahuízotl, que gobernó a los aztecas desde antes que Xihuitl naciera, ha muerto.

Los señores de las otras dos ciudades de la Triple Alianza eligen a Moctezuma como sucesor[1] de Ahuízotl. El sobrino del emperador muerto tiene ahora treinta y cuatro años, y está rezando en el *calmecac*. Le anuncian la decisión y los rituales por los que tendrá que pasar antes de convertirse en emperador.

—Y debes salir a ver las estrellas para conocer los tiempos y sus signos—le dice el señor de Texcoco—. Y sus influencias y lo que amenazan. Y tener en cuenta el primer sol de la mañana, para que, cuando salga, hagas la ceremonia de bañarte y luego ungirte[2] con betún[3] divino. Debes tener en cuenta los montes y desiertos adonde van los hijos de los dioses a hacer penitencia[4] y a vivir en la soledad de las cuevas. Debes tener en cuenta también las fuentes y los manantiales divinos.

Pero los presagios[5] para el nuevo emperador no son buenos.

GLOSARIO

[1] **sucesor**: persona que sucede o toma el cargo o lugar de otra [2] **ungir**: extender una sustancia sobre una superficie [3] **betún**: pasta de color negro [4] **hacer penitencia**: castigarse uno mismo por un mal que ha hecho [5] **presagio**: señal que indica que algo va a suceder

Los días anteriores a su elección, un cometa que anuncia la ira de los dioses, se ve en el firmamento. Luego, durante una tormenta, un rayo[6] incendia el Templo de Huitzilopochtli. Según cuentan algunos, de noche se oyen voces en el cielo de una mujer que llora diciendo:

—*¡Oh hijos míos, estamos a punto de perdernos!*

Durante esos cinco años, Xihuitl se ha convertido en un muchacho delgado y guapo. Ha estudiado y trabajado como «contador de días» en el Templo del Calendario del *calmecac*. Pero cuanto más aprende de los sacerdotes, más cosas siente que quedan fuera de su alcance. Ellos le enseñan cosas muy diversas, pero él imagina que detrás de todos esos conocimientos hay todavía mucha sabiduría. Cuantas más cosas aprende y más estudia, más grande es su desesperación por lo que todavía no sabe.

Xihuitl registra todo tipo de presagios en los códices. Sabe por los códices antiguos que el cambio de cada emperador siempre trae muchas señales. Buenas y malas, pero la gente suele recordar solo aquellas pocas que se cumplen.

Pero sus superiores están preocupados y se toman muy en serio esos presagios.

—Xihuitl —le dice el sacerdote que está a cargo de los registros—. Anoche, los cazadores de la laguna atraparon un ave blanca del tamaño de una garza y la tienen expuesta en el mercado de Tlatelolco. Dicen que el ave tiene un espejo[7] redondo en medio de la cabeza, y que en él se ven el cielo y las estrellas. Ve a comprobarlo y, si es verdad, requisa[8] el ave para que podamos estudiarla.

Xihuitl hace una reverencia a su superior, coge sus útiles de escritura y abandona el templo para ir a Tlatelolco. La ciudad

---

GLOSARIO

[6] **rayo**: destello de luz que se produce en una tormenta [7] **espejo**: superficie de cristal tratado en la que se reflejan los objetos [8] **requisar**: confiscar, quitarle una autoridad algo a alguien

hermana está tan cerca de Tenochtitlán que se puede llegar a ella caminando por una calzada corta y ancha.

El mercado está en una gran plaza donde se reúnen los compradores y los vendedores. Es día de fiesta en Tlatelolco, y el gran mercado está tan lleno de gente que es casi imposible caminar entre los puestos[9]. Aquel es también el principal centro de reunión de la ciudad, donde va la gente a escuchar las noticias y a verse con los amigos. Cualquier cosa que se pueda encontrar en el Imperio azteca está presente allí. Pieles de animales, pescados frescos, tomates, maíz, calabazas, fruta traída desde las tierras calientes del sur.

En el centro hay una sección dedicada a la venta de artículos que, por ley, solo los nobles pueden comprar. Las ropas que usa la clase alta, objetos y materiales de gran valor traídos desde tierras lejanas, las plumas de quetzal, de guacamaya y de otras aves exóticas.

Cerca de uno de estos puestos, Xihuitl ve a uno de los guerreros que se ocupan de mantener la paz en el mercado. Son los únicos que pueden llevar armas allí. Xihuitl se acerca a él y le dice:

—Estoy buscando al ave que tiene un espejo redondo en la cabeza. Me han dicho que la exponen en uno de los puestos del mercado… ¿Sabes de lo que te hablo?

El guardia mira extrañado a Xihuitl.

—¿Un ave con un espejo? —pregunta el guerrero—. Jamás oí algo así.

El orfebre[10] de un puesto cercano, que vende joyas para las damas de la nobleza, le hace una señal a Xihuitl para que se acerque.

GLOSARIO

[9] **puesto**: pequeña tienda o punto de venta en un mercado [10] **orfebre**: persona que fabrica objetos artísticos de oro, plata y otros metales preciosos

—Yo también he oído hablar de ese pájaro, joven sacerdote —dice el orfebre—. Creo que se puede ver en la zona sur, en los puestos de los animales vivos.

—¿Es que está vivo? —se asombra Xihuitl.

—Eso no lo sé.

Xihuitl camina entre la gente, cada vez más intrigado[11]. En la zona sur de la plaza se alinean los puestos de animales. La gente se agolpa alrededor de uno de ellos y Xihuitl, aunque se pone de puntillas, no puede ver lo que está pasando. Intenta abrirse paso, pero a pesar de sus vestiduras negras de sacerdote nadie le presta atención. Al final tiene que pedirle a uno de los guardias del mercado que le abra un camino entre la gente que rodea aquel puesto. El comerciante se sorprende al ver a aquel muchacho vestido de sacerdote y al guardia que lo acompaña.

—¿Sí? ¿Pasa algo? —pregunta. Es un hombre gordo, casi tan ancho como alto, con la cara redonda y con un adorno de hueso[12] en la nariz.

Xihuitl intenta parecer seguro de sí mismo.

—Me han dicho que aquí tienes un pájaro con un espejo en la cabeza.

El comerciante le muestra el animal al muchacho. La gente los rodea expectante[13]. Al parecer, la presencia de un sacerdote en el lugar le da credibilidad[14] al prodigio, aunque este sacerdote sea un jovencito.

El pájaro está metido en una jaula. Parece una garza, con las plumas de color blanco. Hace un sonido como de trompeta cuando el muchacho se acerca a la jaula. En la cabeza, justo sobre el pico largo y afilado, tiene algo plano, brillante y redondo. Cuando Xihuitl se acerca, ve su propio ojo reflejarse en aquel disco reluciente. Se vuelve hacia el comerciante.

GLOSARIO

[11] **intrigado**: que siente interés o curiosidad por algo [12] **hueso**: cada una de las piezas que forman el esqueleto [13] **expectante**: atento, vigilante [14] **credibilidad**: cualidad de creíble

—Puedes sacar al animal de ahí dentro. Me gustaría estudiar esa cosa de cerca.

El hombre duda y mira al guardia del mercado. Este asiente y le hace una señal para que obedezca al muchacho. Entonces, abre la jaula y sujeta al pájaro por el cuello.

Xihuitl puede ver entonces el espejo desde más cerca. Parece perfectamente redondo y refleja su imagen con más claridad que ningún otro espejo que ha visto antes. Da unos golpecitos con el pincel para escribir.

No suena como metal. ¿Qué es entonces? Con el mango del pincel, intenta levantar el disco. Parece pegado a la cabeza del pájaro. De hecho, puede ver que le han arrancado algunas plumas para conseguir una superficie mejor a la que fijarlo. Quizá, pero eso no explica el extraño material del que está hecho aquel espejo. No es metal y Xihuitl nunca ha visto un espejo tan bueno que no sea de metal.

Se vuelve hacia el comerciante y le dice:

—Me llevo el animal al templo para estudiarlo mejor.

—Pero… ¡No es justo! —el hombre enrojece de rabia—. Pagué por él cien piezas de cacao a los cazadores, y tengo varias ofertas de gente que…

Pero Xihuitl ya no escucha al comerciante. Un destello[15] ha desviado su atención. Entre los espectadores que hay alrededor de ellos ve una estrella brillante. Parpadea[16], alguien con un espejo le está dirigiendo el reflejo del sol hacia los ojos. No lo ve bien, pero por la altura parece un niño. Un niño travieso[17] que intenta burlarse de él. De repente, se da media vuelta y huye[18] del lugar. Xihuitl lo sigue con la vista. Va cubierto con una manta. Ha visto por dónde se ha ido y se abre paso entre la gente para correr detrás de él.

GLOSARIO
[15] **destello**: resplandor o brillo corto [16] **parpadear**: abrir y cerrar los ojos [17] **travieso**: juguetón, revoltoso [18] **huir**: escapar, irse

Capítulo X
La ventana

Xihuitl atraviesa el mercado y se mete por una de las callejas orientales, siempre detrás de las huellas[1] de las pisadas[2] del niño. Entonces, ve un reflejo blanco por la pared de su derecha. Se gira y ve al niño al fondo de la calle, dirigiendo su espejito hacia él y moviéndolo para que el sol le dé en la cara.

Pero no es un niño. Es igual de bajo que un niño, parece un bebé, pero en realidad es un enano.

Se da la vuelta y se aleja corriendo, mientras agita sus manos. Xihuitl lo sigue por una calle tan estrecha que dos hombres no pasarían juntos. Llega frente a una gran pared de piedra y no ve al enano. Ha desaparecido. Incluso han desaparecido de repente las huellas de sus pisadas. ¿En qué momento lo ha perdido?

—¡Maldito niño! —exclama con frustración, mirando a un lado y a otro.

Decide volver atrás, pero en una ventana del segundo piso de la casa ve el reflejo de un espejo. Un muro no muy alto continúa a partir de la pared y rodea el edificio. Trepa[3] por

---

GLOSARIO

[1] **huella**: marca que deja algo o alguien al pasar por un lugar [2] **pisada**: huella de un pie en la tierra [3] **trepar**: escalar, subir a un lugar ayudándose de pies y manos

él y salta a un jardín lleno de flores y árboles frutales. Avanza oculto entre los arbustos hasta llegar a una higuera[4]. Después de asegurarse de que nadie vigila el jardín, empieza a trepar. Llega al segundo piso y salta a la ventana.

Se asoma al interior pero está demasiado oscuro y no puede distinguir nada.

Introduce medio cuerpo por la ventana… Y entonces unos brazos muy fuertes lo atrapan por el cuello y lo obligan a entrar.

Xihuitl intenta levantarse para enfrentarse a los que lo han agarrado. Lo sujetan por el pelo y le aplastan[5] la cara contra el suelo. Logra girar un poco la cabeza y ve a los que lo sujetan. Uno es un comerciante con la cabeza rapada y unos adornos de jade en la nariz. El otro es alto, gordo, con la cara llena de cicatrices[6].

Detrás está el enano que lo ha guiado hasta allí. Le sonríe burlón.

En la pared opuesta a la ventana hay alguien atado con las manos en la espalda.

Es una mujer y está temblando[7]. Una capucha[8] le cubre la cara.

—¿Qué pasa aquí? ¿Quiénes sois? —pregunta el muchacho, asustado.

El enano le da una patada en la boca.

Siente un fuerte dolor y la boca llena de sangre, y nota con la punta de la lengua que se le ha roto un diente.

—Soy un sacerdote del Templo del Calendario —dice—, ¿qué queréis de mí?

—Sabemos que eres un sacerdote, joven Xihuitl —dice el mercader de los adornos de jade—. Por eso estás aquí.

GLOSARIO
[4] **higuera**: árbol que da higos y brevas [5] **aplastar**: presionar sobre algo hasta aplanarlo [6] **cicatriz**: marca que deja una herida [7] **temblar**: tiritar [8] **capucha**: parte de algunas prendas de ropa que cubre la cabeza

—Xihuitl, ¿eres tú? ¡Ayúdame! —grita la mujer—. ¡Ayúdame, por favor, ayúdame, ayúdame! ¡No dejes que me hagan daño!

El muchacho se queda asombrado, porque ha reconocido la voz. Intenta hablar pero no puede. Al fin logra decir:

—¡Ixtlixochitl! ¿Eres tú?

—¡Sí…, Xihuitl, ayúdame por favor!

Mientras el gordo lo sujeta, el mercader se coloca junto a Ixtlixochitl y le quita la capucha. La muchacha parpadea y tiembla como un animalillo aterrorizado. Está llorando.

Xihuitl no la ha visto desde hace más de cuatro años. Llevaba varios meses en el *calmecac* cuando recibió la visita de Ixtlixochitl. Le trajo un plato lleno de tamales, una delicia hecha con maíz fresco envuelto en hojas verdes de maíz y cocido al vapor. También llegó con noticias de su hermano Acatzin, que se estaba convirtiendo rápidamente en un formidable guerrero en el *telpochcalli*. Y sobre su madre, que estaba embarazada de Teonahuac y una adivina[9] le había anunciado que esta vez sería un niño.

Más tarde supo que Acaualxochitl había muerto en el parto, al igual que el nuevo hijo de Teonahuac. Ixtlixochitl nunca volvió a visitarlo.

Era terrible ver ahora su miedo y su sufrimiento. La chica viste una túnica de algodón que está rota en el hombro, lleva el pelo recogido en una trenza[10] y llora. Y, a pesar de todo, Xihuitl comprueba que es aún más bella que antes.

—No permitiré que te hagan daño, Ixtlixochitl —le dice.

—Ayúdame.

—Confía en mí. Te sacaré de aquí.

GLOSARIO

[9] **adivino**: persona que se cree puede ver el futuro [10] **trenza**: peinado que se hace entretejiendo tres mechones de pelo

—No hagas promesas que no puedas cumplir, joven sacerdote.

Xihuitl se vuelve hacia el mercader y lo mira desafiante a los ojos.

—¿Qué quieres de mí? Dime...

El enano le entrega unas plumas al mercader, y este acerca una de ellas a la cara del muchacho. Le muestra que hay una larga espina de maguey[11] oculta dentro de la pluma. Está recubierta de un aceite oscuro.

Xihuitl la mira y luego vuelve a mirar al mercader.

—¿Qué es eso?

—No te importa lo que es —le responde el mercader—, solo debes ocuparte de que Moctezuma utilice estas plumas durante su sacrificio ritual.

—¿Estás loco? ¡No voy a llevarle al emperador esas espinas envenenadas!

El mercader se vuelve hacia el enano y le dice:

—Yolcaut, córtale la nariz y las orejas a la chica...

El enano se acerca a Ixtlixochitl con un cuchillo en la mano. Ella grita.

—¡No! —suplica Xihuitl—. ¡Espera!

El mercader hace un gesto y el enano se detiene.

—Ya espero —dice—. ¿Qué tienes que decirme?

—No le hagáis daño a mi hermana, por favor.

—¿Tu hermana? Ahora empezamos a entendernos, joven sacerdote. Pero ella no es de verdad tu hermana, ni tú eres en realidad azteca. No tienes que ser fiel a un hombre que comandó los ejércitos que saquearon el país de tus padres. Habrá muchos sacerdotes en la ceremonia del sacrificio de Moctezuma. Jóvenes y viejos sacerdotes con la cara pintada de negro. Tú podrás unirte a ellos y dejar estas espinas entre las que el futuro emperador

---

GLOSARIO

[11] **maguey**: planta originaria de México con hojas carnosas y espinas

va a usar para perforarse la piel como tributo a sus dioses. No tienes nada que temer, los presagios anuncian grandes desgracias durante su reinado y todo el mundo sentirá alivio[12] cuando Moctezuma muera unos días después.

Xihuitl deja caer sus hombros, incapaz de encontrar una salida.

—¿Quiénes sois vosotros? —murmura.

—Eso no importa, joven sacerdote —le responde el mercader—. Lo único que tienes que saber es que solo tú puedes salvar a tu falsa hermana. Si haces lo que decimos, ella vivirá. Si nos traicionas, nunca la volverás a ver.

La muchacha está tan aterrorizada que ni siquiera puede ya gritar. Mira fijamente el cuchillo de obsidiana que el enano sujeta frente a la cara.

—Lo haré —dice Xihuitl apartando la vista de Ixtlixochitl.

—Solo vas a tener una oportunidad, joven sacerdote —le advierte el mercader mientras vuelve a cubrir la cabeza de la joven con la capucha—. Recuerda que, si fallas o cambias de idea, ella morirá.

Mientras lo arrastran hacia el exterior, Xihuitl solo puede pensar en aquel día que vio a Ixtlixochitl por primera vez. Comprende que desde entonces la ha amado.

GLOSARIO
[12] **alivio**: descanso, desahogo, tranquilidad

Capítulo XI
Señor Águila

Es de noche y Xihuitl da vueltas y vueltas sobre la estera en la que está tumbado. Su celda del Templo del Calendario es pequeña pero agradable. Las paredes están pintadas de blanco y la pequeña cortina[1] que cubre la puerta se mueve con la brisa fresca que entra. Pero él no puede dormir.

Al día siguiente va a suceder lo que tanto teme. Puede oírlo a través de las paredes, puede olerlo en el aire. Son los preparativos para la fiesta de la coronación[2] de Moctezuma. El rumor[3] constante de la muchedumbre que llena las calles, el olor de los guisos callejeros por toda la ciudad, los trabajadores en el Templo Mayor que levantan las gradas[4] para los invitados que llegan desde todas las ciudades del Imperio.

Tenochtitlán tampoco duerme, un nuevo emperador va a ser investido[5].

Pero antes tendrá que hacer los sacrificios rituales a los dioses. Moctezuma perforará la piel de su cuerpo con espinas de maguey: las orejas, la lengua, las piernas, los genitales, y ofrecerá su sangre a los dioses.

GLOSARIO

[1] **cortina**: tela que cuelga de una ventana [2] **coronación**: nombramiento de un rey [3] **rumor**: ruido confuso de voces [4] **gradas**: asientos [5] **investir**: dar oficialmente a alguien un cargo

Xihuitl saca de un arcón el paquete de plumas blancas. Dentro de cada una hay una espina de maguey envenenada.

Durante los últimos días ha luchado entre el miedo y la incapacidad para decidir. Ha intentado cumplir con su trabajo de «contador de días», pero está nervioso y desconcentrado por aquel paquete de plumas. Y también por el recuerdo de Ixtlixochitl.

Mientras el corazón está ocupado con los asuntos mundanos, dicen sus superiores, no se pueden abrir las puertas del conocimiento. Y Xihuitl vive en un estado de confusión desde que la vio maniatada y en poder de aquellos hombres. No puede concentrarse al imaginar los horrores y el miedo que ella estará sufriendo.

Ha oído los comentarios de sus compañeros por los pasillos del *calmecac* y ha seguido adelante sin mostrar ningún interés por sus palabras.

En realidad está muy atento a todo lo que cuentan:

—Dicen que han secuestrado[6] a la hija de un capitán principal, uno que está al frente de uno de los *calpullec* más importantes de Tenochtitlán. El pobre hombre tiene sobre él la maldición de los dioses. Hace unos años, el hijo varón que esperaba nació muerto.

Xihuitl no ha visto a Teonahuac desde que era niño. Nunca pensó en visitarlo, pero ahora siente pena al imaginar cuánto estará sufriendo.

Pero sabe quién sí está en contacto con Teonahuac.

Toma una decisión. Envuelve[7] las plumas y las guarda en su túnica. Sube a la azotea del Templo del Calendario y mira la luna y las estrellas en el cielo nocturno. Bajo él, la ciudad está iluminada por miles de antorchas, como un reflejo del firmamento estrellado. Nadie sabrá que un joven sacerdote ha abandonado el *calmecac* en mitad de la noche. Busca un lugar por donde bajar y lo encuentra en el ala sur, entre el Muro

---

GLOSARIO
[6] **secuestrar**: retener a alguien y exigir dinero [7] **envolver**: recubrir con papel

de Serpientes, la muralla que rodea el Centro Ceremonial, y el *calmecac*. Está oscuro y no hay gente. Baja por el muro y cuando pisa el suelo echa a correr. No va muy lejos, el lugar al que se dirige está justo al lado del Templo Mayor. Llega al edificio que está buscando. Entra por una pequeña ventana abierta en una habitación que está casi a oscuras. Al fondo hay una puerta que da a un patio. Oye voces y se oculta detrás de una columna. Permanece allí muy quieto, respirando lentamente, mientras sus ojos se acostumbran a la oscuridad.

Cuando cree que es seguro, sale al patio. Pero al salir de la habitación caen sobre él dos muchachos. Tienen más o menos su edad, pero son fuertes como osos. Uno de ellos apoya[8] la rodilla[9] en su pecho y no le deja respirar. Lleva la cabeza totalmente rapada[10] a excepción de un largo mechón[11] que le crece en la nuca[12]. Coloca una macana sobre su garganta y dice:

—A ver, ¿quién eres tú y qué haces en La Casa de las Águilas?

El Quauhcalli, «la Casa de las Águilas», el cuartel de los guerreros águila.

—Yo… —Xihuitl intenta hablar, pero no puede con la rodilla sobre su pecho. El otro afloja[13] un poco la presión y por fin logra decir—: He venido a ver a mi hermano.

—¿Tu hermano?

—Acatzin.

—¿Tú eres hermano del señor Acatzin?

Antes de que pueda contestar, el otro muchacho dice:

—Debe de ser verdad —también sujeta una macana y lleva la cabeza rapada. Los dos visten capas de color naranja con un escorpión pintado en el pecho—. El señor Acatzin nos dijo que tenía un hermano sacerdote. ¡Y se parecen!

GLOSARIO

[8] **apoyar**: descansar el peso de algo sobre otra cosa [9] **rodilla**: parte entre la pierna y el muslo [10] **rapado**: afeitado [11] **mechón**: porción de pelo [12] **nuca**: parte de detrás del cuello [13] **aflojar**: suavizar

—Pues si eres su hermano —dice el que está sobre él—, ¿por qué has venido a la Casa de las Águilas a escondidas?

—Porque... —Xihuitl comprende que no puede darle a aquel chico ninguna explicación que suene razonable—. Necesito hablar con mi hermano. Es un asunto personal. Él lo comprenderá.

—Los guerreros águila no tienen asuntos personales.

—Ya basta, Sihuca —dice el que está de pie—, lo llevaremos con su hermano y él decidirá. Vamos.

Los dos guardias lo llevan hasta una celda de la zona este. Cuando Acatzin sale a recibirlos, los dos hacen una respetuosa reverencia.

—Señor Águila —dicen—, te traemos a este sacerdote que dice que es tu hermano. Ha entrado sin permiso en la Casa de las Águilas.

Acatzin abre mucho los ojos por la sorpresa de ver a Xihuitl ante él, pero de acuerdo con la ética de un guerrero águila, oculta sus emociones y pregunta.

—¿Habéis avisado a alguien?

—No, señor Águila, creemos que es mejor que decidas tú.

—Gracias, escorpiones. Ahora marchaos y dejadnos solos.

Xihuitl sigue a su hermano a la celda, que no es muy diferente a la suya en el Templo del Calendario, aunque en una de las paredes está colgada una macana bastante pesada, con marcas de combates anteriores.

Acatzin también tiene sobre su cuerpo las señales y cicatrices de su vida militar. Se ha convertido en un joven alto y fuerte, con brillantes ojos negros y pelo largo y suelto.

—Señor Águila —dice Xihuitl—. Es impresionante.

El estatus de un guerrero azteca depende exclusivamente del número de prisioneros para el sacrificio que este ha capturado en combate. Tras el quinto prisionero, al guerrero se le da el tratamiento de «señor Águila». Teniendo en cuenta la juventud de Acatzin, es un logro notable. Los prisioneros los ha capturado en lo que los aztecas llaman *xochiyaoyotl*, «guerras floridas». Tenochtitlán necesita un continuo flujo de sangre y corazones humanos para alimentar al sol y mantenerlo en el cielo. Los sacrificados solo pueden ser prisioneros capturados en combate, así que los aztecas obligan a sus vecinos de las ciudades de Tlaxcala, Cholula y Huexotzinco a combatir en batallas acordadas en un territorio neutral. No se busca ni la derrota ni la rendición de uno de los bandos. Lo principal es capturar prisioneros para el sacrificio y servir de ejercicio al ejército azteca. Las guerras floridas son también un mecanismo perfecto para que un joven guerrero como Acatzin logre el ascenso social.

Pero en ese momento él no quiere hablar sobre eso.

—¿Qué haces aquí?

—¿Has visto últimamente a Teonahuac?

—Estuve con él en la última campaña, desde entonces no lo he visto. Sé que está encerrado en su casa, destrozado por…

—¿La desaparición de su hija, Ixtlixochitl?

Acatzin entrecierra los ojos.

—Sí, ¿cómo sabes tú eso? Aún no se ha dicho nada…

—Sé que han secuestrado a Ixtlixochitl. Hace dos días la vi.

—¿Qué? —esta vez Acatzin se olvida de los modos estoicos de un guerrero y levanta la voz—. ¿Dónde? Tenemos que avisar inmediatamente a…

—Espera —Xihuitl levanta las dos manos para pedirle calma a su hermano—, los que la tienen prisionera me aseguraron que la asesinarían si se lo contaba a alguien.

—¿Y por eso has esperado dos días para venir? —Acatzin lo mira con dureza.

—No sabía qué hacer.

—¿Y por qué has decidido a actuar por fin, hermanito?

Xihuitl duda sobre lo que debe decir a continuación. Aquel es su hermano, con el que ha crecido y vivido tantos momentos en su antigua tierra. Pero ahora le parece un completo desconocido. Lo ve frente a él y cree ver a un azteca alto y fuerte, en el que no reconoce casi ningún rasgo del pasado. Han pasado cinco años. Solo cinco años, pero a Xihuitl le parece una eternidad. Y su vida en Chiapán, la de otra persona.

Recuerda entonces su infancia en aquella ciudad de la selva. Xihuitl fue un niño silencioso que lo veía todo como en un sueño. A veces, cuando hablaba, decía cosas tan extrañas que los adultos se giraban para mirarlo. Acatzin, en cambio, siempre buscaba problemas y tenía que huir de adultos que pretendían darle algunos azotes por sus travesuras. Eran muy distintos ya entonces, pero entre los dos había una comunicación que iba más allá de las palabras y de los gestos. Eran dos consciencias despertando a la vez, integrándose la una en la otra.

Ahora casi lo ha olvidado todo. Ni siquiera se llaman ya como entonces... Pero su hermano está allí, justo frente a él, y sea cual sea ahora su nombre y su aspecto sigue siendo su hermano, la única persona en la que aún puede confiar.

Xihuitl no lo piensa más. Saca el paquete y lo abre para mostrarle las espinas de maguey ocultas dentro de las plumas.

—Están envenenadas —dice—. Los que tienen a Ixtlixochitl quieren que coloque estas espinas con las otras que usará Moctezuma en la ceremonia de mañana.

Acatzin abre la boca y se queda mirando a su hermano con expresión de sorpresa.

—¿Quieren que los ayudes a matar al emperador?

—Parece que esa es la idea. Y me amenazaron con asesinar a Ixtlixochitl si los traicionaba. Vi cómo la tenían bien atada de pies y manos, y con una capucha sobre la cabeza. Acatzin, la pobre niña estaba muerta de miedo.

—De acuerdo, cálmate, déjame pensar un poco en esto —Acatzin da varios pasos frenéticos por la estrecha celda. De repente, se vuelve hacia su hermano—. ¿Sabrías regresar al lugar donde la viste?

—Por supuesto.

—No creo que siga allí, pero iremos a mirar por si acaso.

—No lo sé. Creo que puede ser peligroso para ella.

Acatzin coge la macana que está colgada en la pared y dice:

—Tú y yo solos no llamaremos la atención. Vamos, hermano, solo tenemos esta noche para encontrarla. Ojalá hubieras venido a verme el primer día.

Capítulo XII
La pluma blanca

Como Acatzin había imaginado, la casa está vacía. Los dos hermanos entran en ella por la misma ventana que usó Xihuitl, pero esta vez nadie los espera dentro.

Recorren las habitaciones buscando alguna pista[1], y de repente Xihuitl pisa algo. El muchacho llama a su hermano.

—¡Acatzin, ven!

El guerrero llega deprisa desde la habitación de al lado.

—¡Sssssh! ¿Es que quieres que se entere todo el mundo de que estamos aquí?

—Mira esto... ¿Qué crees que es?

Acatzin se agacha[2] y coge el fragmento brillante entre sus dedos. Tiene más o menos el largo de su dedo pulgar[3], y es un espejo perfecto que refleja su imagen con claridad. Lo estudia con atención. De repente, se corta en el dedo y suelta el trocito de espejo. Al chocar contra el suelo, este se rompe en varios fragmentos, unas gotitas de sangre caen entre ellos.

—Parece un trozo de obsidiana —dice—. Corta muchísimo y al mismo tiempo se rompe tan fácilmente como la cerámica.

GLOSARIO

[1] **pista**: indicio o señal que aporta información sobre algo [2] **agacharse**: inclinarse, bajar una parte del cuerpo [3] **pulgar**: dedo gordo de la mano

—¿Has visto alguna vez algo parecido?

—No. Nunca.

—Eso es lo que llevaba la garza blanca en la cabeza.

—Muy bien, hermano. Busquemos por aquí a ver si encontramos más fragmentos.

Xihuitl se pone de rodillas para buscar por toda la sala. Su hermano hace lo mismo, y mientras buscan, el joven sacerdote pregunta:

—¿Cuándo fue la última vez que viste a Ixtlixochitl?

—Hace muchos años —dice Acatzin—. Yo estaba entrenándome en el *telpochcalli* y ella me trajo una cesta llena de tamales recién hechos.

—Igual que a mí.

—No llegué a comerlos. Estaba en mitad del entrenamiento y los dejé a un lado. Uno de los perrillos que andaban libremente por el *telpochcalli* se comió varios tamales y luego encontré al animal muerto, con una espuma[4] blanca saliéndole de la boca. Inmediatamente, te mandé un aviso: «No pruebes ningún alimento que Ixtlixochitl te lleve, aunque tenga un aspecto delicioso». Parece que te llegó, ya que estás aquí.

Xihuitl se yergue un poco y mira asombrado a su hermano.

—No me llegó ningún aviso —dice pensativo—. Yo estaba en periodo de ayuno y quise guardarlos hasta el día siguiente. Pero su aroma no me dejaba concentrarme en la meditación. Al final los tiré por la ventana.

—Pero nunca volvió a visitarte Ixtlixochitl.

—No.

—Ni la volviste a ver hasta hace dos días.

—Así es.

GLOSARIO

[4] **espuma**: conjunto de burbujas de color blanco que se forman en la superficie de los líquidos

—Probablemente los sacerdotes leyeron mi nota y a partir de ese momento no dejaron pasar a la muchacha. No te dijeron nada para acallar[5] el asunto, a fin de cuentas[6] ella es la hija del señor Teonahuac.

—No me lo puedo creer —dice Xihuitl poniéndose en pie y mirando a Acatzin—. ¿Por qué intentaría envenenarnos?

—Hermano, me parece que tú sabes mucho de las estrellas y muy poco de los hombres. ¿No te dijo que su madre estaba embarazada y que los adivinos habían pronosticado que esta vez sería un hijo? Pues yo creo que esa bruja la envió con los tamales envenenados para quitarle competidores a su futuro hijo.

—Pero ella murió…

—Sí, qué pena... Mira, ¿qué te parece esto?

Xihuitl se acerca, mira lo que su hermano sujeta entre los dedos, y dice:

—Es una pluma... ¡Una pluma blanca!

—¿Y sabes por qué está aquí?

Xihuitl recoge más plumas del suelo.

—Son plumas de la cabeza de la garza que vi en el mercado de Tlatelolco. La que requisamos para llevarle a Moctezuma… —Xihuitl intenta recordar con exactitud lo sucedido—. Al animal le habían arrancado algunas plumas de la cabeza para fijarle mejor el espejo redondo…

—Estas plumas. Es decir, lo hicieron aquí.

—Sí, pero el hombre…, el mercader que tenía la garza dijo que se la habían vendido los cazadores del lago. Dijo que pagó cien piezas de cacao por ella…

Los dos hermanos se miran durante un instante, comprendiendo.

—Mentía —dice por fin Xihuitl.

GLOSARIO
[5] **acallar**: silenciar, hacer callar [6] **a fin de cuentas**: después de todo, al fin y al cabo

—Eso es evidente —dice Acatzin con una sonrisa—. Creo que deberíamos hacerle una vista nocturna a ese comerciante.

—Espera un momento —Xihuitl sujeta a su hermano por el brazo—. Si ese hombre está aliado con los que secuestraron a Ixtlixochitl…

—No te preocupes. No le voy a dar la oportunidad de avisar a nadie.

Capítulo XIII
Mercaderes enmascarados[1]

Un hombre sale por una de las ventanas de una casa de un barrio de Tlatelolco cercano al mercado. Es bajo y gordo, está casi desnudo, cubierto solo con un taparrabo. Echa a correr calle abajo buscando la protección de la oscuridad, pero no llega muy lejos. Al acercarse a una esquina, de las sombras sale una figura alta y delgada y lo derriba[2] de un golpe.

Otras tres personas salen por la misma ventana y se acercan al hombre que está tumbado en el suelo, boca arriba, sangrando por la nariz. Son Xihuitl, Acatzin y el guardia del mercado que los ha llevado hasta la casa del comerciante del pájaro espejo.

—Gracias, Chimalma —dice Acatzin—. Has estado en el sitio justo.

El guerrero azteca ha cambiado mucho en esos cinco años. Tiene algunas cicatrices más sobre su cuerpo, pero sigue siendo el mismo hombre que los llevó a Tenochtitlán y luego entrenó a Acatzin.

—A tu servicio, señor Águila —dice—. Imaginé que iba a intentar huir por ahí.

GLOSARIO
[1] **enmascarado**: que lleva una máscara, un disfraz que esconde la cara [2] **derribar**: tirar contra el suelo a una persona

—Tenemos que darnos prisa —dice Xihuitl—. La noche avanza.

—Esto será rápido —Acatzin se acerca al comerciante y le pregunta—: ¿Dónde está Ixtlixochitl?

—¿Quién?

—La muchacha que tenéis secuestrada. ¿Dónde está?

—No sé de qué me hablas. Yo soy un honrado[3] comerciante que…

—¿Por qué has huido entonces? —le pregunta Xihuitl.

El gordo mira hacia arriba y se limpia la sangre de la nariz con la mano.

—Habéis entrado en mi casa en mitad de la noche. ¿Qué esperabais que hiciera?

—Olvida eso —le dice Acatzin obligándolo a mirarlo—. No me interesan tus explicaciones, solo quiero que me digas dónde está Ixtlixochitl.

—¡No lo sé!

Con tranquilidad, Acatzin abre el paquete donde Xihuitl guarda las plumas y luego saca la espina de maguey oculta en el interior de una de ellas.

El mercader palidece y traga saliva al verla.

—Sabes lo que es esto, ¿verdad? —dice Acatzin con una sonrisa siniestra.

—No, no… Yo…

—Si no me dices ahora mismo dónde está Ixtlixochitl, te voy a clavar esta espina. Es solo una espina de maguey, no tienes por qué preocuparte, ¿no?

—Tu favor, noble señor… —balbucea—. No sé de qué me estás hablando…

Acatzin apoya la espina en la cara del comerciante y aprieta un poco. No llega a rasgar[4] la piel, pero este grita aterrorizado.

GLOSARIO

[3] **honrado**: honesto, íntegro [4] **rasgar**: desgarrar, producir una herida leve con algo punzante

—¡Nooooo!

—Voy a contar hasta tres y luego te abro un agujero: Uno, dos...

—¡El lugar de las garzas! —grita aterrorizado.

—¿Qué? —Acatzin retira un poco la espina de la cara para que el comerciante pueda hablar—. ¿Qué dices?

—El lugar de las garzas..., en las marismas de Aztahuacán. Allí hay una choza de cazadores de pájaros y en ella tienen a la chica encerrada... Piedad⁵, señor, piedad...

—¿Cuántos hombres la vigilan?

—No lo sé seguro, señor. Tres o cuatro. Quizá cinco. Vienen y van.

—¿Desde dónde?

—De Tlaxcala y Huexotzinco. Ellos son *nahualoztomecas*, «mercaderes enmascarados», espías⁶ de esas ciudades enemigas de la Triple Alianza.

—Tú también lo eres —asegura Acatzin.

—No, no, no señor —dice el gordo comerciante temblando—. Yo soy solo un comerciante, no un espía... Ellos me dieron el pájaro porque sabían que el joven sacerdote iría a investigarlo. Lo querían a él... ¡Aaaaah!

El comerciante grita con todas sus fuerzas porque Acatzin le ha atravesado al fin la cara con la espina de maguey. El muchacho le tapa la boca con la mano.

—Tranquilo —dice con una risita—, esta no es una de las espinas envenenadas.

Acatzin se pone en pie y le habla a Chimalma y al guardia del mercado:

—Encerradlo en la casa y que nadie sepa de él hasta mañana por la tarde.

GLOSARIO

⁵ **piedad**: compasión, misericordia ⁶ **espía**: persona que se dedica a conseguir información secreta de otro estado o país

—Así se hará, señor Águila —le asegura Chimalma mientras obliga al comerciante a levantarse y a poner las manos en la espalda.

El guardia del mercado lo ata con fuerza y luego los dos lo empujan hacia la casa.

—No te preocupes —le dice Acatzin a Xihuitl al ver su expresión de duda—, confío totalmente en Chimalma. Pondría mi vida en sus manos.

—Creo que eso ya lo hemos hecho.

Los dos hermanos dejan atrás las calles de Tlatelolco y van hacia los muelles[7]. Aunque es muy tarde, las calzadas principales están llenas de gente, pero Acatzin lleva a su hermano por un pequeño sendero[8] de tierra. Durante un buen rato caminan juntos en completo silencio. Llegan a la orilla[9] y Acatzin se mete de inmediato en el lago. Con el agua por la cintura, empuja una canoa para llevarla junto al muelle.

—Sube —le ordena a su hermano.

Impulsada por los dos hermanos, la pequeña embarcación se separa del muelle de Tlatelolco y navega silenciosa por el lago. La luna brilla inmensa sobre ellos.

—¿Crees que ella seguirá viva? —pregunta Xihuitl.

—Estoy seguro de que estará perfectamente —dice Acatzin.

—Esperemos que los dioses lo quieran… —duda—. Pero, ¿por qué estás tan seguro?

El guerrero clava con fuerza el remo[10] en el agua y exclama:

—¡Vamos, hermano, no puedes ser tan ingenuo!

—Lo soy, porque no sé a qué te refieres.

GLOSARIO

[7] **muelle**: lugar donde las personas se suben y bajan de una embarcación [8] **sendero**: camino estrecho [9] **orilla**: rivera, lado de un río [10] **remo**: pala con la que se empuja el agua para mover una barca

—Ya oíste al comerciante. Usaron ese pájaro con el espejo en la cabeza porque sabían que un joven sacerdote iría a interesarse por él. Y tú eres el sacerdote de menos edad en el Templo del Calendario. Es normal que te mandasen a ti.

—Podrían haber enviado a cualquier otro.

—Pero lo normal es que te mandasen a ti —insiste Acatzin—. Y eso significa que la persona que está detrás de todo esto te conoce y conoce muy bien tu situación en el Templo. Sabía que lo más probable era que ese día fueras tú al mercado. Y así fue.

—¿Estás diciendo que Ixtlixochitl le ha dado esa información a los espías?

—Ya te he dicho que no creo que ella esté ahora en peligro. Pero eso pronto lo sabremos. Calla y rema, hermano, o no llegaremos antes de que salga el sol.

Mapa del lago Texcoco

Capítulo XIV
La orilla de las garzas

Los dos hermanos dejan la canoa y se abren paso por una amplia zona cubierta de lodo[1] y cañas. La pálida luz de la luna ilumina una choza redonda de paredes de barro y techo de paja[2].

Hay dos hombres delante, sentados al calor de una hoguera. Uno es enorme y lleva la cabeza rapada. El otro parece un niño de cinco años, pero es un enano.

—Son ellos —dice Xihuitl—, los que tenían prisionera a Ixtlixochitl.

—Es difícil confundirlos.

—Quédate aquí —le susurra[3] Acatzin a su hermano.

—Espera —dice Xihuitl, hablando también con susurros—. ¡Falta uno!

Acatzin asiente y va hacia la choza, ocultándose entre la vegetación, con la cara casi tocando el suelo. Un animalito se esconde debajo de una piedra. Acatzin levanta la piedra con cuidado y la criatura se enfrenta a él girando sobre sí misma y apuntándolo con su negro aguijón[4]. Es un escorpión. Con un movimiento rápido de la mano, lo atrapa sujetándolo por el aguijón y lo mantiene encerrado en su mano. De niño ha hecho aquello cientos de veces.

GLOSARIO
[1] **lodo**: mezcla de tierra y agua [2] **paja**: caña de algunos cereales cuando está seca
[3] **susurrar**: hablar en voz baja [4] **aguijón**: órgano punzante, generalmente con veneno

Sigue arrastrándose, rodea la choza para intentar sorprender a los de la hoguera por detrás, y casi tropieza[5] con el tercer hombre, que vigila en el otro lado. Acatzin se queda inmóvil y contiene la respiración. Es alto y fuerte, y lleva adornos de jade en la nariz. No lo ha visto y pasa junto a él.

Acatzin se pone en pie de un salto[6] y lo sujeta por detrás. Le rodea el cuello con el brazo y coloca la mano con el escorpión sobre su boca y su nariz. El hombre abre la boca para gritar, y...

¡Zump! Un dolor intenso y el hombre patalea. Acatzin lo sujeta con más fuerza. Mira hacia la hoguera, pero los otros dos siguen conversando.

El cuerpo muerto cae lentamente al suelo. Tiene los ojos enloquecidos y la boca abierta para gritar. Pero el pobre no ha logrado emitir ni un susurro. El escorpión sale de su boca y escapa hacia las piedras. Le ha picado[7] varias veces en la lengua y esta se ha hinchado[8] tanto que lo ha asfixiado[9].

Cogiendo con fuerza la macana, Acatzin camina rápidamente hacia los dos que ahora están asando un trozo de pavo en las brasas. No se vuelven cuando oyen sus pasos, porque piensan que es su compañero que viene a unirse a la cena.

Xihuitl se reúne con su hermano poco después. Mira los cadáveres y dice:

—Eres como una maldición[10] de los dioses.

Acatzin lo entiende como algo positivo y señala la puerta de la choza.

—En silencio —le advierte.

El interior es bastante amplio. Un pequeño brasero[11] ilumina suavemente el lugar. Una persona está sentada sobre una estera, de espaldas a él. Es una silueta inclinada hacia delante que estudia con atención un códice.

GLOSARIO

[5] **tropezar**: chocarse [6] **salto**: acto de elevar el cuerpo [7] **picar**: clavar el aguijón [8] **hincharse**: aumentar anormalmente el tamaño [9] **asfixiar**: no dejar respirar [10] **maldición**: castigo de los dioses [11] **brasero**: recipiente con brasas (leña o carbón ardiendo) para calentarse

Con la macana en la mano, Acatzin da un paso hacia ella. El suelo de tierra cruje[12].

La persona se vuelve rápidamente y la luz rojiza del brasero le ilumina la cara. Sus ojos, negros como la obsidiana, están muy abiertos. Es Ixtlixochitl, sorprendida, incrédula[13].

—¡Acatzin…, Xihuitl! ¿Qué hacéis aquí?

—Hemos venido a rescatarte —dice Acatzin con una sonrisa de medio lado—, pero no veo que estés atada y con una bolsa en la cabeza como me dijo mi hermano. Y tienes buen aspecto. Parece que tus carceleros te tratan bien…, hermana.

El asombro se transforma en terror en el hermoso rostro de Ixtlixochitl.

—Coyolli…, Olontetl…, Yolcaut… ¿Qué habéis hecho con ellos?

Como respuesta, Acatzin le muestra la macana, que gotea sangre junto a los pies de la muchacha. Ella grita y se tapa la cara con la mano. Cae al suelo y llora.

—¡Los has matado! Eran mis amigos… ¿Qué voy a hacer yo ahora?

—¿Tus amigos? —exclama Xihuitl—. Esos mercaderes eran espías de Tlaxcala. Me engañaste, me hiciste creer que estabas en peligro y por ello vinimos a rescatarte. ¿Y por qué todo esto? ¿Eres azteca y traicionas a los tuyos, a tu propia gente…?

Ixtlixochitl levanta la vista, desafiante.

—No soy azteca. Mi madre es de Tlaxcala y fue un botín[14] de guerra para Teonahuac. Igual que vosotros. ¿Qué le debéis a Tenochtitlán? Destruyeron vuestra ciudad. Para los aztecas los demás pueblos solo son alimento para sus dioses.

—Pero tú naciste aquí, tienes su sangre.

GLOSARIO

[12] **crujir**: producir un ruido la madera vieja al pisarla [13] **incrédulo**: que no puede creer [14] **botín**: beneficio que se consigue de un robo o saqueo

—Nací aquí, pero Acaualxochitl ya estaba embarazada cuando la trajeron a Tenochtitlán. Ella vio cómo Teonahuac mataba a mi verdadero padre. Por eso quería quitarle a Teonahuac todo lo que tenía, incluso a vosotros. Y prefirió matarse antes que darle un hijo. Yo le juré que la vengaría y que ayudaría al pueblo de Tlaxcala a conseguir la victoria sobre los aztecas.

Acatzin sujeta a Ixtlixochitl y la obliga a levantarse.

—No me interesa nada de eso —le dice—. Vamos, te llevaremos con tu padre.

—¡No! —grita ella—. ¡Suéltame!

Intenta escapar de Acatzin y este la sujeta con más fuerza.

—Déjala, que le estás haciendo daño —le dice Xihuitl a su hermano.

Ixtlixochitl se suelta y corre hasta el fondo de la choza.

—Jamás volveré con Teonahuac. Prefiero morir. ¿Es que estáis locos? Vosotros tenéis tanto motivo como yo para desear la desgracia de los aztecas. Los sacerdotes de Tlaxcala han descubierto señales que anuncian que el final de Tenochtitlán está cerca. Ayudadme a viajar a esa ciudad y os lo demostraré.

—Nada de eso es asunto nuestro, Ixtlixochitl —dice Acatzin—. Vinimos a rescatarte de los espías de Tlaxcala y eso hemos hecho. Aunque todo fuera una mentira tuya.

La muchacha se da la vuelta y saca un cuchillo de un arcón. Es muy estrecho y está fabricado con un material gris y brillante que los dos hermanos no reconocen. Mueve el cuchillo frente a ella.

—No hagas más estupideces —le advierte Xihuitl.

Pero la muchacha no tiene intención de atacarlos. Le entrega el arma a Xihuitl.

—¿Qué os parece esto? ¿Es metal? —pregunta, mirando a los dos hermanos.

Xihuitl contempla asombrado aquel extraño cuchillo en sus manos. Brilla como el cobre pulido, pero es de color gris. Nunca ha visto nada igual.

—¿De dónde ha salido esto? —pregunta.

—Mira el códice, Xihuitl, ahí está todo explicado —responde Ixtlixochitl.

El joven sacerdote se inclina sobre el códice que la chica estaba estudiando cuando llegaron. Los dibujos son asombrosos, y a Xihuitl le recuerdan las extrañas fantasías con las que soñaba cuando era niño.

—Parece un palacio dentro del agua... —dice, intentando describir lo que ve.

Los ojos de Ixtlixochitl reflejan una creciente excitación.

—Hace unos años —les explica—, en el lejano sur, se vieron esas casas flotantes cruzando frente a las costas. Eran embarcaciones enormes. Estaban hechas de madera y parecía que unos pájaros gigantes de plumas blancas las arrastraran sobre el mar. Y todos pensaron que venían de otro mundo. Un día apareció en una playa una de ellas, partida por la mitad y llena de cadáveres de criaturas extrañas. Parecían hombres de piel blanca y largas barbas. Y también había muchos objetos extraños, fabricados con materiales que desconocemos, como ese cuchillo o los trozos de espejos que han maravillado a todo el que los ha visto. Nuestros sacerdotes han interpretado esto como un signo del regreso de Quetzalcoatl, nuestro dios pacífico y civilizador, opuesto a los sacrificios humanos, que emigró hacia el este prometiendo que un día regresaría para liberar a Tlaxcala de sus enemigos.

—¿Qué es entonces lo que buscaban tus amigos tlaxcaltecas cuando planearon la muerte de Moctezuma? —le pregunta Xihuitl.

—Su muerte creará la confusión y marcará el principio de la victoria de Tlaxcala. Cuando llegue Quetzalcoatl encontrará a su pueblo libre para recibirlo como merece... Moctezuma ha nacido bajo un mal signo. Tú como sacerdote lo sabes.

—Es verdad —dice el muchacho—, aunque ahora me pregunto cuántos de los signos fatídicos[15] que hemos visto han sido fabricados por los espías tlaxcaltecas.

GLOSARIO
[15] **fatídico**: que anuncia el futuro, especialmente desgracias

Ixtlixochitl se acerca a él y lo mira con esperanza. Le coge las manos y se las aprieta con emoción.

—Xihuitl, ven conmigo a Tlaxcala. Se está preparando una expedición de sacerdotes al lejano sur para investigar los restos de la embarcación destruida. Tu ayuda como sacerdote y tus conocimientos de esas tierras selváticas serán muy importantes. Ayúdame a cruzar las montañas y llegar a Tlaxcala, y te aseguro que irás en ella.

Hay más promesas en los hermosos ojos de Ixtlixochitl, promesas tan intensas que Xihuitl siente que enrojece, y mira hacia otro lado.

—Basta de conversación —dice Acatzin—. Volvemos todos a Tenochtitlán. Hermano, coge ese códice para que lo estudien en el *calmecac*...

Pero Xihuitl no se mueve. Ixtlixochitl sigue sujetándole las manos.

—No hermano —dice al fin, sorprendido por la seguridad de su voz—, creo que voy a acompañar a Ixtlixochitl en su viaje.

¿Es eso lo que ha deseado siempre? Sí, ya no tiene ninguna duda de que es exactamente eso. Regresar al sur, con Ixtlixochitl.

Acatzin se gira y mira a su hermano sorprendido.

—¿Es que te has vuelto loco? —pregunta despacio—. ¿Has olvidado la promesa que le hicimos a padre? Nuestra vida está ahora en Tenochtitlán. Yo soy un caballero águila y tú eres un sacerdote del Templo del Calendario. No voy a permitir que te vayas con ella a la tierra de nuestros enemigos.

Xihuitl suspira y mantiene la mirada de su hermano mayor.

—Tendrás que matarnos entonces, hermano, porque no creo que tú solo puedas arrastrarnos a los dos hasta Tenochtitlán.

Capítulo XV
La ceremonia

Moctezuma camina hasta el altar[1] que se ha levantado al pie del Templo de Ehécat.

Varios hombres van delante de él, barriendo[2] el suelo que va a pisar. Está vestido de una forma elegante, con una rica manta adornada con perlas y plumas preciosas. Lleva un bezote[3] de jade con la figura de un colibrí[4] en el labio inferior y grandes pendientes de oro cuelgan de sus orejas. Ornamentos de turquesa[5] en la nariz, y un collar de cráneos de ámbar[6] de los que cuelgan conchas[7] de oro. Los sacerdotes se acercan a él y le entregan las espinas de maguey con las que Moctezuma se atraviesa diferentes partes de su cuerpo. Las clava en sus orejas, en la lengua, en las piernas, en los genitales. Aguanta estoicamente el dolor, y no hace ni un gesto de incomodidad cuando los sacerdotes frotan[8] paja contra las heridas recién abiertas. Impregnada de la sangre de Moctezuma, queman la paja en el fuego que arde sobre el altar. Un humo muy negro sube hacia el cielo.

Acatzin mira la ceremonia desde el lugar de honor reservado para los caballeros águila. Lleva el uniforme de su

---

GLOSARIO

[1] **altar**: construcción donde se celebran ritos religiosos [2] **barrer**: quitar la suciedad del suelo [3] **bezote**: adorno en el labio inferior [4] **colibrí**: pájaro pequeño y de pico largo [5] **turquesa**: mineral de color azul verdoso [6] **ámbar**: resina fósil de color amarillo [7] **concha**: cubierta que protege el cuerpo de los moluscos [8] **frotar**: pasar muchas veces algo sobre otra cosa

orden, el traje de guerra hecho de plumas de águila y el casco que representa la cabeza del ave señora de los cielos.

A su lado está Teonahuac, vestido también con el traje de los caballeros águila. Parece el mismo hombre que hace años los llevó a él y a su hermano a Tenochtitlán. Sin embargo, la expresión de su rostro ha cambiado y el orgullo y la arrogancia han desaparecido casi por completo. Ahora es un hombre herido por los últimos acontecimientos de su vida, y eso ha quedado marcado en su expresión.

Teonahuac se da cuenta de que Acatzin lo mira y se gira. Sus ojos se encuentran durante un instante y el joven guerrero águila cree que va a hablarle. Pero el capitán azteca no dice nada, aparta los ojos y vuelve a concentrarse en la ceremonia.

Acatzin mira entonces hacia las lejanas montañas nevadas del Iztaccíhuatl y el Popocatéptl. Echa de menos a su hermano. Se pregunta si se volverán a ver algún día.

* * *

Ixtlixochitl camina delante de él dejando huellas de pisadas en la nieve. Va cubierta con una gruesa manta, pero tiembla de frío bajo ella. Mientras suben, ella le cuenta la historia de los enanos que servían a Quetzalcoatl, y que murieron de frío al pasar por allí mientras huían hacia la ciudad mítica de Tula. Xihuitl conoce la historia, cualquier sacerdote la conoce, pero la ha dejado hablar para que ella se olvide del frío. Pero al final el frío es tan intenso que sus dientes castañean y tiene que callar.

Xihuitl se detiene un momento y mira hacia la ciudad sobre el lago.

El sol es frío, no da sensación de calor. Tenochtitlán es como una mancha blanca de nieve, de una palidez mortal. Una línea de humo sube como una flecha lanzada hacia el cielo. El mismo universo parece contener la respiración en aquel lugar.

Se vuelve hacia Ixtlixochitl, pone una mano sobre su hombro y la aprieta contra su cuerpo. «Vamos», le susurra al oído, y siguen caminando.

Notas culturales

Capítulo I

aztecas: los aztecas o mexicas (*mexihcah* en náhuatl) fueron
un pueblo indígena de la América prehispánica que llegó a
dominar gran parte de la región de Mesoamérica. Fundaron
la ciudad de México-Tenochtitlán, sobre una pequeña isla del
lago de Texcoco, donde hoy se encuentra Ciudad de México.

embajadas: el Imperio mexica, antes de declarar la guerra a
otros pueblos, los visitaba para ofrecerles una oportunidad
de someterse a su dominio sin violencia. En estas embajadas
se realizaban rituales complejos como el reparto de regalos,
especialmente armas.

guerreros águila: fueron una clase especial de soldados que,
junto con los caballeros jaguar, formaba la élite guerrera del
Imperio azteca.

Tenochtitlán: fue la capital del Imperio mexica, fundada en
el siglo XIV. Según la leyenda, la ciudad la pobló un grupo
de pueblos nahuas que venían de la región de Aztlán. Se
convirtió en una de las ciudades más grandes e importantes
de la época, gracias sobre todo a los tributos que pagaban los
pueblos sometidos. Por eso, cuando los españoles llegaron a la
región, muchos pueblos indígenas se aliaron con ellos contra
los aztecas. La ciudad fue derrotada por los españoles en 1521.

Huitzilopochtli: en náhuatl «colibrí del sur», fue el dios principal de los mexicas. Está asociado con el Sol.

Triple Alianza: el Imperio azteca estaba en realidad formado por
la confederación de las tres ciudades-estado de Tenochtitlán,
Texcoco y Tlacopán.

Capítulo III

tortillas de maíz: alimento de la gastronomía mexicana hecho con harina de maíz. Es la base de los tacos, las quesadillas y otros platos típicos.

Moctezuma (1398-1469): gobernante del Imperio mexica. Su nombre significa en náhuatl «Su Señor el Airado, Flechador del Cielo». Gobernó entre 1440 y 1469 de forma absolutista y teocrática. Durante su dominio hubo muchas catástrofes naturales que causaron grandes daños en el Imperio. Para tranquilizar a los dioses, se sacrificaron muchos humanos, prisioneros de las «guerras floridas» contra pueblos enemigos. Durante el dominio de Moctezuma, Tenochtitlán se convirtió en una ciudad muy poderosa.

Capítulo IV

Teotihuacán: en náhuatl significa «lugar donde fueron hechos los dioses». Fue una de las mayores ciudades de Mesoamérica durante la época prehispánica.

Tlaxcala: durante el período de dominación azteca, fue una de las pocas ciudades que se mantuvo independiente. En 1520, Hernán Cortés fundó la ciudad colonial de Tlaxcala sobre la prehispánica.

Iztaccíhuatl: antiguo volcán que es hoy la tercera montaña más alta del país. Su nombre proviene de una princesa de la mitología azteca.

Popocatéptl: volcán activo unido con Iztaccíhuatl mediante el paso de Cortés. Con 5610 metros de altura, es el segundo más alto de México.

Capítulo VI

Aztatlán: (o Aztlán) es, según la mitología mexica, el lugar de donde proviene la cultura nahua. Azteca significa en náhuatl «gente de Aztlán».

Capítulo VII

Quetzalcoatl: divinidad de las culturas de Mesoamérica. Su nombre viene del náhuatl y significa «serpiente emplumada». A menudo se considera el dios principal. Representa la dualidad entre el cuerpo físico y sus limitaciones (la serpiente) y el espíritu (las plumas).

pueblo maya: la cultura maya vivió en una amplia región de Mesoamérica, al sureste de México y en parte de América Central. Su historia tiene unos 3000 años y fue una de las culturas precolombinas más importantes, con importantes avances en ciencia y astronomía.

Capítulo VIII

Tezcatlipoca: es una divinidad nahua. Su nombre significa «espejo negro que humea». Es el señor del cielo y de la tierra, que da la vida, el poder y la felicidad. Forma una dualidad con Quetzalcoatl. Tezcatlipoca es de color negro y Quetzalcoatl de color blanco.

Glosario

ESPAÑOL	INGLÉS	FRANCÉS	ALEMÁN

Capítulo I

ESPAÑOL	INGLÉS	FRANCÉS	ALEMÁN
[1] escudo	shield	bouclier	Schild
[2] afilado	sharp	aiguisé	scharf
[3] pluma	feather	plume	Feder
[4] casco	helmet	casque	Helm
[5] quemar	to burn down	brûler	anzünden
[6] amenaza	threat	menace	Drohung
[7] caracola	horn	conque	Muschel
[8] aullido	howl	hurlement	Heulen
[9] polvo	dust	poussière	Staub
[10] golpear	to strike/beat	frapper	schlagen
[11] desafiar	to challenge	défier	herausfordern
[12] burla	mockery	moquerie	Spott
[13] chispa	spark	étincelles	Funke
[14] retroceder	to retreat	se replier	zurückweichen
[15] jabalina	spear	javelot	Speer
[16] paje	page	page	Page/Knabe
[17] atar	to tie up	attacher	fesseln
[18] caña	rope (here)	tige	Halm
[19] desdeñoso	scornfully	dédaigneux	geringschätzig
[20] jade	jade	jade	Jade
[21] retaguardia	arrière-garde	arrière-garde	Nachtrupp
[22] destino	fate	destin	Schicksal
[23] sacrificar	to sacrifice	sacrifier	opfern
[24] flecha	arrow	flèche	Pfeil
[25] choza	hut	hutte	Hütte
[26] arder	to burn	brûler	verbrennen
[27] saquear	to sack	piller	plündern

Capítulo II

ESPAÑOL	INGLÉS	FRANCÉS	ALEMÁN
[1] anudar	to tie/held	nouer	binden
[2] empalizada	stockade/palisade	palissade	Palisade

ESPAÑOL	INGLÉS	FRANCÉS	ALEMÁN
[3] agotado	exhausted	épuisé	erschöpft
[4] prisionero	prisoner	prisonnier	Gefangene
[5] venerable	your honour/worship	monseigneur	Ehrwürdige
[6] arrodillarse	to kneel	s'agenouiller	niederknien
[7] soltar	to release	lâcher	loslassen
[8] varón	male	de sexe masculin	männlichen Geschlechts
[9] apartar	to move aside	s'écarter	ausweichen
[10] clavar	to stab	planter	stechen
[11] rendirse	to surrender	se rendre	sich unterwerfen
[12] barro	mud	boue	Ton
[13] cometa	comet	comète	Komet
[14] asentir	to nod	acquiescer	nicken
[15] inclinarse	to bow	s'incliner	sich verbeugen

Capítulo III

[1] antorcha	torch	flambeau	Fackel
[2] sacerdote	priest	prêtre	Priester
[3] incienso	incense	encens	Weihrauch
[4] túnica	tunic	tunique	Gewand
[5] sien	temple	tempe	Schläfe
[6] palidez	paleness	pâleur	Blässe
[7] uña	fingernail	ongle	Fingernagel
[8] difuminarse	to fade	s'estomper	verschwimmen
[9] rescatar	to rescue	sauver	befreien
[10] obsidiana	obsidian	obsidienne	Osidian
[11] hoguera	camp-fire	feu	Lagerfeuer
[12] frijoles	kidney beans	haricots	Bohnen
[13] severidad	severity	sévérité	Strenge
[14] ira	wrath/anger	colère	Zorn
[15] merecer	to deserve	mériter	verdienen
[16] reprochar	to reproach	reprocher	vorwerfen
[17] rencoroso	resentful	rancunier	nachtragend

ESPAÑOL	INGLÉS	FRANCÉS	ALEMÁN

Capítulo IV

	ESPAÑOL	INGLÉS	FRANCÉS	ALEMÁN
1	cosecha	harvest	récolte	Ernte
2	siervo	serf	serf	Untertan
3	vengar	to revenge	venger	rächen
4	colina	hill	colline	Hügel
5	arrastrar	to drag	traîner	schleifen
6	delirar	to become delirious	délirer	fiebern
7	desmayarse	to faint	s'évanouir	in Ohnmacht fallen
8	rezar	to pray	prier	beten
9	rodeo	detour	détour	Umweg
10	encarnizado	bitter/fierce	acharné	verbittert
11	encogerse de hombros	to shrug	hausser les épaules	mit den Schultern zucken
12	apretar	to press/squeeze	serrer	drücken
13	calzada	paved road	voie	befestigte Straße
14	reverencia	reverence	révérence	Ehrfurcht
15	desagüe	drain	écoulement	Abfluss
16	adobe	sun-dried brick	torchis	Luftziegel
17	toldo	awning	toile	Sonnendach
18	vitorear	to cheer	acclamer	zujubeln
19	losa	flagstone	dalle	Fliese
20	estera	mat	natte	Matte

Capítulo V

	ESPAÑOL	INGLÉS	FRANCÉS	ALEMÁN
1	estar a punto de	to be on the point of	être sur le point de	hier: beinahe
2	mejilla	cheek	joue	Wange
3	orgulloso	proud	orgueilleux	stolz
4	ternura	tenderness	tendresse	Zärtlichkeit
5	acariciar	to stroke	caresser	streicheln
6	jurar	to swear	jurer	schwören
7	pleno	full	plein	ausgefüllt
8	permanecer	to remain	rester	bleiben
9	bromear	to joke	plaisanter	scherzen
10	antepasado	ancestor	ancêtre	Vorfahre
11	pegar	to stick (on)	coller	befestigen

ESPAÑOL	INGLÉS	FRANCÉS	ALEMÁN
[12] devorar	to devour	dévorer	verschlingen
[13] fila	line/queue	file	Schlange
[14] desfilar	to march in line	défiler	marschieren
[15] joya	jewel	bijou	Juwele
[16] cráneo	cranium	crâne	Totenschädel
[17] morada	house (here)	demeure	Wohstätte
[18] prosperidad	prosperity	prospérité	Reichtum
[19] arrancar	to pull out	arracher	herausreißen
[20] palpitante	beating	palpitant	schlagend
[21] exprimir	to squeeze	presser	auspressen
[22] estaca	stake	pieu	Pfahl
[23] azotea	flat roof	terrasse	Dachterasse
[24] flotante	floating	flottant	frei schwebend
[25] tumbarse	to lie down	s'allonger	sich niederlegen

Capítulo VI

ESPAÑOL	INGLÉS	FRANCÉS	ALEMÁN
[1] tejer	to sew	tisser	flechten
[2] muchacho	lad/youth	garçon	Knabe
[3] curiosidad	curiosity	curiosité	Neugier
[4] lujo	luxury	luxe	Luxus
[5] arbusto	bush	arbuste	Strauch
[6] estanque	pond	bassin	Teich
[7] jaula	cage	cage	Käfig
[8] cacique	headman	cacique	Häuptling
[9] de por vida	for life	à vie	lebenslang
[10] señalar	to indicate	montrer du doigt	auf etwas jemanden zeigen
[11] serpiente	snake	serpent	Schlange
[12] venenoso	poisonous	venimeux	giftig
[13] violar	to rape	violer	vergewaltigen
[14] basta	enough!	ça suffit	es reicht
[15] domar	to tame	dresser	bändigen
[16] heredar	to inherit	hériter	erben
[17] arruga	wrinkle	ride	Falte
[18] frente	forehead	front	Stirn
[19] madurez	maturity	maturité	Reife

ESPAÑOL	INGLÉS	FRANCÉS	ALEMÁN
[20] comportarse	to behave yourself	(ici) se calmer	sich benehmen
[21] erguirse	to raise your head	se dresser	sich erheben
[22] garza	heron	héron	Reiher
[23] costra	crust	croûte	Kruste
[24] corte	cut	coupure	Schnitt
[25] cintura	waist	taille	Taille
[26] resistirse	to put up a fight	résister	Widerstand leisten
[27] patada	kick	coup de pied	Fußtritt

Capítulo VII

[1] húmedo	damp	humide	feucht
[2] celda	cell	cellule	Zelle
[3] novicio	novice	novice	Novize
[4] taparrabo	loincloth	cache-sexe	Lendenschurz
[5] bondadoso	kind	bienveillant	gutmütig
[6] gravilla	gravel	gravillon	Kies/Schotter
[7] obedecer	to obey	obéir	gehorchen
[8] humildad	humility	humilité	Demut
[9] espina	thorn/needle	épine	Stachel
[10] ayuno	fast	jeûne	Fasten
[11] tragar	to swallow	avaler	schlucken
[12] saliva	saliva	salive	Speichel
[13] vergüenza	shame	honte	Verlegenheit
[14] rueda	wheel	roue	Rad
[15] encalado	whitewash	chaux	Tünche
[16] ceniza	ash	cendre	Asche
[17] códice	codex/scroll	codex	alte Handschrift
[18] plegar	to fold	plier	falten
[19] pincel	paintbrush	pinceau	Pinsel
[20] tributo	tribute/tax	tribut	Steuer
[21] sospechar	to suspect	pressentir	vermuten
[22] murmurar	to murmur	murmurer	murmeln
[23] solsticio	solstice	solstice	Sonnenwende
[24] inquieto	curious/questioning	curieux	unruhig
[25] escriba	scribe	scribe	Schriftgelehrte
[26] firmamento	firmament	firmament	Firmament

ESPAÑOL	INGLÉS	FRANCÉS	ALEMÁN

Capítulo VIII

ESPAÑOL	INGLÉS	FRANCÉS	ALEMÁN
[1] siniestro	sinister	lugubre	unheimlich
[2] bajorrelieve	bas-relief	bas-relief	Flachrelief
[3] entrenamiento	training	entraînement	Übung/Training
[4] pesado	heavy	lourd	schwer
[5] sudor	sweat	sueur	Schweiß
[6] pupilo	pupil	élève	Mündel/Zögling
[7] criarse	to bring up	grandir	aufwachsen
[8] fastidio	irritation	ennui	Überdruss
[9] escapar	to escape	s'échapper	fliehen
[10] sonoro	loud	sonore	hier:laut schallend
[11] bofetón	slap	gifle	Ohrfeige
[12] inadvertido	discreet	inaperçu	unbemerkt
[13] esquivar	to dodge	esquiver	ausweichen
[14] contrincante	adversary	adversaire	Gegner
[15] seco	sharp	sec	hier:schnell/hart
[16] esfuerzo	effort	effort	Anstrengung
[17] ingenuo	naive	naïf	naiv
[18] retirada	retreat	retrait	Rückzug
[19] costilla	rib	côte	Rippe
[20] enfurecer	to become furious	rendre furieux	wütend machen
[21] costado	side	flanc	Seite
[22] implacable	implacable	implacable	unerbitterlich
[23] imprevisible	unpredictable	imprévisible	unvorhersehbar
[24] desesperado	desperate	désespéré	verzweifelt
[25] mandíbula	jaw	mâchoire	Kinnlade
[26] escupir	to spit	cracher	auspucken
[27] conmocionado	moved/touched	commotionné	erschüttert
[28] mareado	dizzy	avoir la tête qui tourne	schwindelig
[29] vomitar	to vomit	vomir	sich übergeben
[30] sobreponerse	to impose	surmonter	etwas überwinden

ESPAÑOL	INGLÉS	FRANCÉS	ALEMÁN

Capítulo IX

ESPAÑOL	INGLÉS	FRANCÉS	ALEMÁN
[1] sucesor	successor	successeur	Nachfolger
[2] ungir	to anoint	oindre	einsalben
[3] betún	blacking/polish	bitume	Bitumen
[4] hacer penitencia	to do penitence	faire pénitence	büßen
[5] presagio	augury	présage	Omen
[6] rayo	bolt of lightning	foudre	Blitz
[7] espejo	mirror	miroir	Spiegel
[8] requisar	to requisition	réquisitionner	beschlagnahmen
[9] puesto	market stall	étal	Marktstand
[10] orfebre	goldsmith	orfèvre	Goldschmied
[11] intrigado	intrigued	intrigué	gespannt
[12] hueso	bone	os	Knochen
[13] expectante	in expectation	impatient	erwartungsvoll
[14] credibilidad	credibility	crédibilité	Glaubhaftigkeit
[15] destello	glint of light	éclat	Lichtstrahl
[16] parpadear	to blink	cligner des yeux	blinzeln
[17] travieso	naughty	espiègle	keck
[18] huir	to run away	fuir	fliehen

Capítulo X

ESPAÑOL	INGLÉS	FRANCÉS	ALEMÁN
[1] huella	footprint	empreinte	Spuren
[2] pisada	footstep	pas	Fußabdruck
[3] trepar	to climb	grimper	klettern
[4] higuera	fig tree	figuier	Feigenbaum
[5] aplastar	to squash	écraser	niederdrücken
[6] cicatriz	scar	cicatrice	Narbe
[7] temblar	to tremble	trembler	zittern
[8] capucha	hood	capuche	Kapuze
[9] adivino	soothsayer	devin	Wahrsager
[10] trenza	plait/braid	tresse	geflochtener Zopf
[11] maguey	maguey	agave	Agave
[12] alivio	relief	soulagement	Erleichterung

ESPAÑOL	INGLÉS	FRANCÉS	ALEMÁN

Capítulo XI

[1] **cortina**	curtain	rideau	Vorhang
[2] **coronación**	coronation	couronnement	Krönung
[3] **rumor**	hubbub	rumeur	Gerücht
[4] **gradas**	grandstand	gradin	Rang/Ränge
[5] **investir**	to invest	couronner	ein Amt verleihen
[6] **secuestrar**	to kidnap	enlever	entführen
[7] **envolver**	to wrap	envelopper	einwickeln
[8] **apoyar**	to rest (here)	appuyer	aufstützen
[9] **rodilla**	knee	genou	Kie
[10] **rapado**	shaved head	rasé	geschoren
[11] **mechón**	lock of hair	mèche	Strähne
[12] **nuca**	back of the neck	nuque	Nacken
[13] **aflojar**	to loosen	diminuer	nachlassen

Capítulo XII

[1] **pista**	clue	piste	Spur/Hinweis
[2] **agacharse**	to crouch	se baisser	sich bücken
[3] **pulgar**	thumb	pouce	Daumen
[4] **espuma**	foam	bave	Schaum
[5] **acallar**	to silence	passer sous silence	beschwichtigen
[6] **a fin de cuentas**	when all's said and done	en fin de compte	letzten Endes

Capítulo XIII

[1] **enmascarado**	masked	masqué	verkleidet
[2] **derribar**	to bring down	abattre	niederschlagen
[3] **honrado**	decent	honnête	ehrenhaft
[4] **rasgar**	to scratch	déchirer	aufschlitzen
[5] **piedad**	pity/clemency	pitié	Erbarmen
[6] **espía**	spy	espion	Spion
[7] **muelle**	jetty	quai	Mole/Damm
[8] **sendero**	path	sentier	Pfad

ESPAÑOL	INGLÉS	FRANCÉS	ALEMÁN
[9] **orilla**	bank (of river)	bord	Ufer
[10] **remo**	oar	rame	Ruder

Capítulo XIV

[1] **lodo**	mud/sludge	boue	Schlamm
[2] **paja**	straw	paille	Stroh
[3] **susurrar**	to whisper	chuchoter	zuflüstern
[4] **aguijón**	sting	aiguillon	Stachel
[5] **tropezar**	to bump into	trébucher	stolpern
[6] **salto**	jump/spring	saut	Sprung
[7] **picar**	to sting	piquer	stechen
[8] **hincharse**	to swell	gonfler	anschwellen
[9] **asfixiar**	to asphyxiate	asphyxier	ersticken
[10] **maldición**	curse	malédiction	Fluch
[11] **brasero**	brazier	braséro	Feuerbecken
[12] **crujir**	to creak	craquer	knirschen
[13] **incrédulo**	incredulous	incrédule	ungläubig
[14] **botín**	booty	butin	Kriegsbeute
[15] **fatídico**	fateful	fatidique	Unheil bringend

Capítulo XV

[1] **altar**	altar	autel	Altar
[2] **barrer**	to sweep	balayer	fegen
[3] **bezote**	ornament worn on lower lip	ornement pour la lèvre inférieure	aztekischer Lippenschmuck
[4] **colibrí**	hummingbird	colibri	Kolibri
[5] **turquesa**	turquoise	turquoise	Türkis
[6] **ámbar**	amber	ambre	Bernstein
[7] **concha**	shell	coquille	Muschel
[8] **frotar**	to rub	frotter	reiben

actividades

ANTES DE LEER

1. ¿Qué sabes de los aztecas? ¿Conoces otras culturas precolombinas; es decir, que existían en América Latina antes de la llegada de los españoles en el siglo xv?

2. Mira las ilustraciones y apunta todo lo que reconoces y lo que te sugieren.

3. Lee la cita que aparece en la página 5. ¿Qué te dice de los aztecas? ¿Sabes qué era Tenochtitlán? Haz hipótesis.

DURANTE LA LECTURA

Capítulos I a V

4. ¿Qué valores destacarías del código de guerra de los aztecas?

5. ¿Qué objetivo tienen los sacrificios de los aztecas?

6. ¿Cómo crees que se sienten Acatzin y Xihuitl?

7. Si pudieras elegir, ¿qué preferirías: ir a la escuela de Acatzin o a la de Xihuitl? ¿Por qué?

Capítulos VI a VIII

8. ¿Cómo describirías la actitud de Nalaalau ante su futuro?

9. ¿Recuerdas quién dice esta frase y por qué? ¿Crees que tiene razón?

«¡Has metido a dos serpientes venenosas en nuestra casa!»

10. ¿Puedes resumir brevemente qué es el Templo del Calendario y explicar en qué consiste el trabajo que hacen allí?

Capítulos IX a XI

11. ¿Qué debe hacer Xihuitl para que Ixtlixochitl no sufra ningún daño? ¿Por qué?

12. ¿Qué crees que va a hacer?

13. ¿Por qué llaman todos «señor Águila» a Acatzin?

Capítulos XII a XIV

14. ¿Qué descubren los dos hermanos cuando van a rescatar a Ixtlixochitl? ¿Qué ha sucedido de verdad?

15. ¿Con quién te identificas más, con Acatzin o con Xihuitl? ¿Qué harías tú en una situación así?

DESPUÉS DE LEER

16. Ahora que has leído la novela, ¿qué te parece el título? ¿Puedes pensar en un título alternativo?

17. Ponle un subtítulo a cada capítulo. Por ejemplo:

Capítulo I: Teonahuac, el gran guerrero águila

Si lo prefieres, puedes buscar un título alternativo para cada capítulo.

18. Escribe cinco cosas nuevas que has aprendido sobre los aztecas. ¿Te interesa saber más sobre ellos?

19. ¿Crees que los dos hermanos volverán a verse?

20. Escoge uno o dos capítulos del libro, escúchalos y toma notas. Luego, sin mirar el texto, intenta reconstruir esa parte de la historia con tus propias palabras.

LÉXICO

21. Vuelve a mirar las tres ilustraciones que acompañan el texto y añade ahora más palabras y expresiones (sobre el uniforme del guerrero, la ciudad, la topografía, etc.).

22. Completa una ficha para cada uno de los personajes de la novela en la que figure:

- quiénes son
- qué relación tienen con otros personajes importantes
- cómo es su carácter
- cómo es su aspecto
- cómo son su pasado, su presente y su futuro
- tu opinión sobre él

CULTURA

23. Las siguientes frases de la novela representan dos aspectos fundamentales de la civilización azteca: el tiempo y la espiritualidad (sus dioses, su filosofía, su cosmogonía), respectivamente. Escribe tu opinión sobre una de ellas. Si te interesa, busca información sobre uno de los temas y prepara una presentación oral sobre él.

«Los aztecas representan el tiempo como una hoguera. Porque el tiempo es el fuego en el que se consumen nuestros cuerpos. Vida a cambio de muerte, ese es el principio básico del universo».

«Hasta el Sol se transformará en ceniza si no lo alimentamos cada día con los sacrificios. La vida solo continuará si devora la vida».

INTERNET

24. En la web del museo chileno de arte precolombino (**www.precolombino.cl**), en la sección «Culturas precolombinas», puedes acceder a mucha información sobre los aztecas, los mayas, los incas y otras culturas de la América prehispánica. ¿Cuáles te interesan especialmente? ¿Por qué?